세상을 바꾼 천재들의
100가지 아이디어

100 LAMPI DI GENIO CHE HANNO CAMBIATO IL MONDO
Texts and illustrations by Luca Novelli

Photo Credits
CERN : p. 174 ; NASA : p. 149 ; Salvatore Mirabella : pp. 65, 69, 73 ;
Luca Novelli : pp. 17, 18, 30, 32, 34, 39, 40, 42, 44-45, 52, 55, 56, 57, 58, 119, 141, 145, 146.

세상을 바꾼 천재들의 100가지 아이디어

루카 노벨리 글·그림 | 이현경 옮김

라임

차례

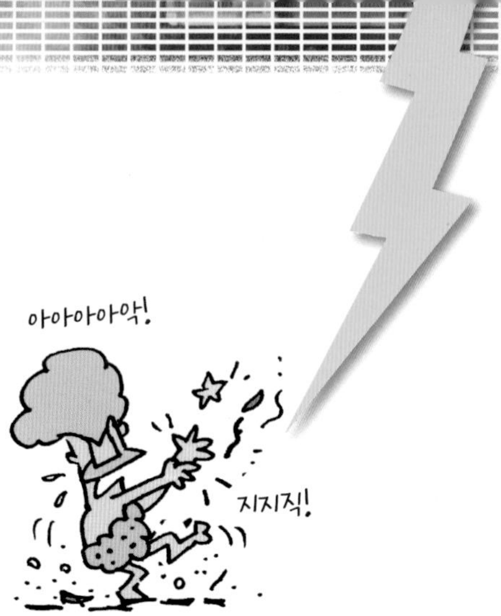
아아아아악!
지지직!

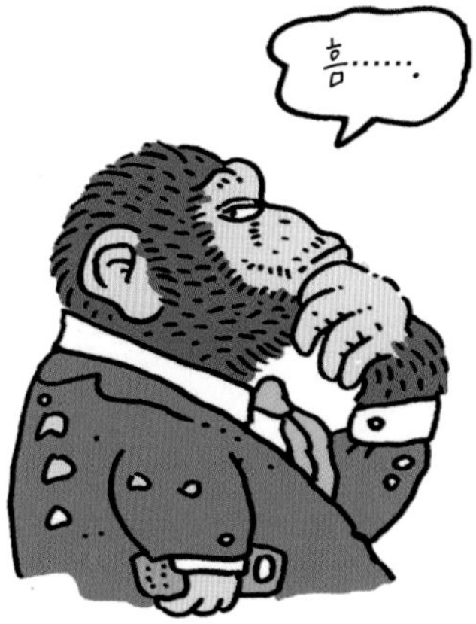
흠…….

툭!

CAGT
T
TAGC

반짝반짝 빛나는 아이디어가 없는 세상을 상상해 봐!

텔레비전이나 휴대폰, 자동차, 세탁기가 없는 세상을 상상해 본 적 있나요? 숫자나 문자가 없는 세상은요? 지구가 우주 한가운데에 뚝 멈춰 있고, 태양이 날마다 그 주위를 돈다고 상상해 보세요. 전기와 책, 컴퓨터, 불, 바퀴, 비누, 토마토소스, 감자튀김이 없는 세상은 어떤가요?

진화와 유전에 대한 개념이 아예 없을 뿐 아니라, 의약품과 병원이 없는 세상은 상상이 되나요? 다리를 크게 다쳐서 당장 수술을 해야 하는데 마취제가 없다면요?

뭐, 상상은 해 볼 수 있을지도 몰라요. 하지만 그런 세상에서 살아가는 건 결코 쉽지 않을 거예요. 지금 당장 휴대폰이 없다는 생각만으로도 미쳐 버릴 것 같은 사람이 적지 않게 있을걸요?

수많은 사람들의 크고 작은 아이디어 덕분에 우리의 삶은 변화를 거듭해 왔어요. 이전보다 환경이 훨씬 더 좋아졌을 뿐 아니라 오래오래 살 수 있게 되었지요. 그들 중 대다수는 널리 알려지지 않은 채 까맣게 잊혀졌지만, 어떤 이는 전 세계를 누비며 넓은 땅을 정복한

황제보다 더 길이길이 역사에 이름을 남기기도 했답니다. 바로 우리의 삶을 윤택하게 변화시켜 준 새 아이디어와 발명품들 때문이지요.

번득이는 아이디어, 다시 말해 훌륭한 아이디어는 한 사람에게서만 나오지 않은 경우도 있어요. 때로는 모두가 다 알던 사실인 경우도 있지요. 그리고 맨 처음 아이디어를 낸 사람이 거기에서 나오는 이득을 다 누린 것도 아니었답니다.

우리의 일상생활 속에는 크고 작은 아이디어가 빼곡하게 스며 있어요. 기술적인 문제를 해결해 편리하게 만들어 주는 아이디어, 복잡한 하루를 간단하게 풀어 주는 아이디어……. 아이디어는 무궁무진해요. 기발한 아이디어가 많이 알려지면 알려질수록 그것을 가장 적절한 순간에 이용할 가능성이 높아지지요.

무인도에 표류해 살아갈 방도를 찾아야 하는 상황이든, 아니면 번화한 대도시 한가운데에서 복잡한 문제를 해결해야 하는 상황이든, 최대한 다양한 아이디어를 알고 있는 것이 삶을 살아가는 데 편리하답니다. 시간도 절약할 수 있고, 헛발질도 덜 하게 되지요.

—루카 노벨리

천재들의 번득이는 아이디어는 어디서 출발할까?

출발! 좋은 생각을 찾아서

천재들의 번득이는 아이디어는 '좋은 생각'에서 출발해요. 깨우침이라 볼 수도 있고, 어떤 문제나 상황을 해결하는 데 도움이 되는 생각이라고 할 수도 있지요.

지지직!
아이디어

아이디어는 갑자기 떠오를 수도 있지만, 공부나 연구를 하던 중에 우연히 생기는 경우가 많아요. 대부분은 이미 있던 사실에 새 아이디어가 결합되어서 기상천외하게 탄생하지요.

아이디어
나, 몽골피에!

형제는 용감했다?

번득이는 아이디어의 훌륭한 본보기는 몽골피에 형제에게서 찾을 수 있어요. 몽골피에 형제는 벽난로에서 뜨거운 공기가 굴뚝으로 올라갈 때, 타고남은 종잇조각이 같이 딸려 올라가는 것을 유심히 살펴보았답니다. 그러다 뜨거운 공기를 이용하면 종이 기구를 공중으로 날아오르게 할 수 있다는 생각을 품게 되었지요. 마침내 그들은 최초의…… 열기구를 제작했어요!

우연인 듯 우연 아닌

과학과 기술의 역사를 살펴보면 우연히 발견되거나 발명된 듯이 보이는 물건들이 셀 수 없이 많아요. 우라늄을 사진 건판과 함께 서랍에 넣어 둔

> 아이디어는 종종 전기의 불꽃처럼 서로를 태우면서 타오른다.
> —프리드리히 엥겔스

채 까맣게 잊고 있다가 방사선을 발견하기도 했고, 페니실린은 조수가 우연히 실험 도구를 열어 보면서 발견하게 되었지요.

물론 우연한 사건의 의미를 즉시 알아차리고, 반짝반짝 빛나는 아이디어로 바꿀 수 있는 '준비된 사고'가 있었기에 가능한 일이었지만요. 그 결과, 우리는 놀라운 삶의 변화를 맞이하게 되었답니다.

챙그랑
아이디어
우아, 페니실린이다!

공주가 좋아? 보물이 좋아?

옛날에는 스리랑카를 '세렌디포'라고 불렀어요. 이곳에서 널리 알려진 동화 중에, 세렌디포의 세 왕자가 결혼할 공주를 찾아 여행을 떠나는 이야기가 있답니다. 세 왕자는 공주를 찾아 먼먼 여행을 나섰지만 끝내 한 명도 만나지 못했어요. 그런데 뜻밖에도 아주 진귀한 보물을 발견했지요.

여기서 '세렌디피티'라는 말이 생겨났는데요. 무언가를 찾아 헤매다가 뜻밖에도 특별한 물건이나 아이디어를 발견한다는 뜻을 품고 있답니다.

위대한 아이디어는 대개 단순한 데서 시작된다.
—데이비드 오길비

아이디어
반짝!
우리는 전부 다 찾아냈답니다.
아이디어
아이디어
나는 못 찾았잖아요!
다윈도 놀라운
아이디어를
가지고 있었어요!
지지직!
반짝!
아이디어
반짝!

톡톡 튀는 상상력이 필요해!

상상력은 번득이는 아이디어를 떠올리는 데 큰 도움을 주어요. 번득이는 아이디어는 상상력에서 빚어진 가장 구체적이고 분명한 결과물이거든요.

반짝반짝 빛나는 아이디어의 주인공들

아이디어
아이디어
아이디어
아이디어

아이디어에는 특정한 색깔이 없어요. 그래서 어느 국가나 민족이 독점할 수 없지요. 한마디로 우리 모두의 유산인 셈이에요. 하지만 어떤 발명품이나 기술의 혁신 뒤에는 항상 특정한 인물과 관련된 일화가 있게 마련이지요. 우리가 잘 아는 알베르트 아인슈타인의 경우도 그렇답니다.

반짝
반짝
나예요, 나!
아인슈타인이요.

나야, 나! 아인슈타인

아인슈타인은 현대 물리학의 아버지로 알려져 있을 뿐 아니라, 전 세계를 통틀어 최고의 천재로 손꼽히고 있어요. 만약 아인슈타인이 세상을 바꿀 만큼 위대한 아이디어를 찾아 떠나는 우리의 여행에 함께한다면 틀림없이 즐거워했을 거예요.

음, 앞으로 책장을 넘기면서 아인슈타인을 꽤 자주 만나게 될 텐데요. 그동안 상상해 온 모습과 사뭇 다르다 해도 너무 놀라거나 당황하지 마세요!

잠깐만!
뭐, 꼭 천재만 번득이는 아이디어를 내는 건 아니랍니다!

빨리빨리!
천재적인 아이디어를
쏟아 내 봐!

아싸, 천재들을 만나러 가 볼까?

우리는 이제 아인슈타인 외에도 여러 발명가들을 만날 거예요. 전혀 알려지지 않은 사람도 있고, 전 세계적으로 유명한 인물도 있어요. 아르키메데스를 비롯해 레오나르도 다빈치, 볼타, 에디슨, 마젤란……. 우아, 스티브 잡스까지! 이 발명가들의 머릿속에서 위대한 아이디어가 언제 어디서 어떻게 탄생되었는지 차근차근 이야기해 줄 거예요.

예를 들어, 갈릴레오는 행성과 지구의 움직임을 증명하기 위해 망원경으로 하늘을 관찰하다가 천재적인 아이디어를 내놓았답니다. 하지만 천재들의 아이디어가 항상 그 즉시 인정을 받은 건 아니었어요.

반짝!
나, 갈릴레오 갈릴레이!

> 모든 문제 뒤에는 좋은 기회가 있습니다.
> 그 기회를 잡는 게 바로
> 여러분의 천부적인 재능입니다.
> —갈릴레오 갈릴레이

반짝!
나는 마리 퀴리!

> 사람에 대한 호기심은 줄이고
> 아이디어에 대한 호기심은 키우세요.
> —마리 퀴리

반짝!
반짝!
1
2
3
4
5
6
7
8
9
나, 스티브 잡스!

> 이미 있는 사물들 사이의 점을 연결하는 데
> 모든 것이 달려 있습니다.
> ……그러면 놀라운 아이디어가 모습을 드러낼 거예요.
> —스티브 잡스

우리가 분명히 알아야 할 사실은 이 많은 발명가들이 위대한 아이디어를 머릿속에 품고 있기만 한 것이 아니라, 그 아이디어를 생활 속에서 구체적으로 드러내고 적용하기 위해 최선을 다했다는 거예요.

동물들이 선보이는 별별 아이디어!

그때 나는 이탈리아 중부의 토스카나 지방에서 지내고 있었어요. 밭 한가운데에 지어 놓은 농가에서 생활했는데, 버려진 지 오래되어서 그런지 멧돼지와 여우를 비롯한 여러 동물들이 우글거렸지요. 마구간 위의 넓은 공간에서 잠을 잤는데, 건초 냄새가 향긋하게 코를 간질이곤 했답니다.

너희도 천재적인 아이디어를 가지고 있어!
우리가 할 수 있는 일을 할 겁니다, 대장님!

창문 밑에는 낡아서 발갛게 녹이 슨 환풍기가 있었어요. 벽에서 몇 센티미터 밖으로 툭 튀어나와 있었는데……. 세상에, 작은 새들이 그 안에 둥지를 틀었지 뭐예요! 포식자들이 절대로 침입할 수 없는 안전한 곳이었지요. 새들을 눈으로 직접 보지는 못했지만 시시때때로 지저귀는 소리를 들었어요. 몇 마리는 갓 태어난 아기 새였답니다.

그런데 언젠가부터 오후 시간이 되면 이상한 일이 벌어졌어요. 내가 잠깐 눈을 붙이려고 하면 희한한 소리가 들려오는 거예요. 나는 화들짝 놀라 자리에서 벌떡 일어나곤 했지요. 왠지 굉장히 무거운 물건이 그 환풍기 밑에 있는 닭장 지붕으로 떨어지는 것만 같았거든요.

서둘러 밖을 살펴보았지만 아무것도 보이지 않았어요. 동물도, 사람도……. 주위는 쥐 죽은 듯이 고요했지요. 내가 그 집에 머물도록 허락해 준 친구들이 장난을 치는 모양이라고 생각하고서 나중에 만났을 때 물어보았더니, 정작 그들은 아무 짓도 하지 않았다고 펄쩍 뛰더군요.

어쨌든 그런 일은 날마다 같은 시각에 정확하게 반복되었어요. 툭! 그 뒤로는 바람 소리만 들렸지요. 그러다가…… 그만 비극적인 일이 벌어졌답니다. 어느 날 오후, 여느 때처럼 뭔가가 툭 떨어지는 듯한 소리가 아니라 필사적으로 울어 대는 소리가 들려오지 뭐예요?

나는 깜짝 놀라 잠에서 깼지요. 창밖을 내다보니 꽤 큰 뱀 한 마리가 환풍기를 둘둘 감고 있는 게 보였어요. 뱀이 둥지에 남아 있던 아기 새들을 잡아먹는 동

아이디어
반짝!
이탈리아 중부에 아주 많이 서식하는 실뱀이에요. 다행히 독을 갖고 있지는 않아요.

안 엄마 아빠 되새들이 어쩌지를 못하고 필사적으로 울어 대었던 거예요.

둥지를 다 비우고 배가 한껏 부른 뱀이 아래쪽에 있는 닭장 지붕으로 툭 떨어져 내리는 순간, 오후마다 들려오던 그 이상한 소리의 정체가 밝혀졌지요. 뱀은 순식간에 양철 지붕 가장자리를 지나서 풀밭으로 떨어져 우거진 잡초 사이로 사라져 버렸답니다.

그날 뱀이 마침내 자신의 오랜 계획을 실행에 옮긴 것이었어요. 새 둥지로 다가가서 아기 새들을 잡아먹는 계획 말이에요. 하지만 그건 생각만큼 단순한 일은 아니었어요. 아니, 상당히 복잡하게 움직인 결과의 산물이었지요.

실뱀 한 마리의 끝없는 도전

너무나 영리한 그 뱀은 땅바닥을 기어 다니는 자신의 습성을 뛰어넘은 거예요. 날마다 여러 시간 동안 힘들게 연습해서 마구간의 지붕 위까지 올라갔지요. 그러고는 짐짓 아래로 떨어져 환풍기를 둘둘 감기 위해 갖은 애를 쓴 거지요. 엄청난 시간과 힘을 들이면서 날마다 같은 시각에 그런 시도를 되풀이한 거예요. 그리고 마침내 그날! 목적을 달성하게 되었어요.

새들이 맞닥뜨린 참극이 안타깝기는 하지만, 파충류의 번득이는 아이디어에는 감탄하지 않을 수가 없었지요. 뱀은 크게 발달하지 않은 두뇌로 상상하고 계획하고 연습해서 쉽지 않은 모험을 성공적으로 마쳤으니까요. 똑똑하다고 자처하는 호모 사피엔스라도 뱀처럼 하지 못하는 경우가 꽤 많답니다.

문어에게 학습 능력이 있다고?

문어와 오징어한테서도 반짝이는 아이디어가 드러나 보일 때가 있어요. 문어와 오징어를 대상으로 지능 테스트를 했는데, 학습 능력이 있다는 게 증명되었다나요? 실수를 통해서도 배우고, 같은 종 친구들의 태도를 보고서도 학습을 한다고 해요. 가령, 음식이

이것 좀
열어 줄 수 있어?
당근이지. 이리 줘 봐!

담겨 있는 통을 한 번도 본 적이 없다 해도 너끈히 열 수가 있어요. 그뿐만이 아니에요. 꽤 복잡한 미로에서도 아주 잘 빠져나가는 능력이 있답니다.

포유류는 매우 영리해요. 돌고래, 개, 고양이, 그리고 우리의 사촌인 원숭이들이 포유류에 속하지요. 여기서 분명히 알아야 할 사실은 모든 동물이 많든 적든 각자 나름대로 생각을 한다는 거예요. 그리고 필요할 때는 천재적인 아이디어를 내기도 한답니다.

음, 나도 생각이라는 걸
하면서…… 산다고!

방 세 개에
욕실이 딸린 둥지를
만들어야 해.

동물에게도 지능이 있을까?

밤이나 문어, 오징어의 사례를 보면 동물들에게도 지능이 있다는 생각이 들지 않나요? 음, 있을 수도 있고 없을 수도 있어요. 뭐, 아주 약간 있을 수도 있고요. 지능은 문제를 해결하는 능력이라고 할 수 있지요. 또 어떤 상황에서 벗어나기 위해서, 혹은 어떤 결과에 도달하기 위해서 이용 가능한 수단을 모두 동원하는 능력이라 할 수도 있고요. 인간 다음으로 영리한 동물로는 오랑우탄과 침팬지가 손꼽힌답니다.

꿈을 꾸는 고양이?

오랑우탄과 침팬지의 뒤를 잇는 동물은 개와 고양이예요. 인간의 절친한 친구인 이 동물들은 어떤 문제가 생기면 자신들의 방식으로 해결하려 해요. 신기하게도 고양이는 잠을 자면서 꿈을 꿀 수 있어요. 꿈을 꾼다는 것은 상상할 줄 안다는 뜻이지요. 다시 말하면, 실제와 다른 상황이나 대상을 머릿속으로 그리고, 또 만들어 낼 수 있다는 뜻이에요.

아이디어
난 자면서
달콤한 꿈을 꿔요!
...... 그러니까
생각을 한다는 것,
바로 그거죠!
음, 꿈을 꾸면서
상상을 하죠!
고양이가 제일 좋아하는 먹이가 밀폐 용기에 담겨 있다.
뚜껑이 꽉 닫혀 있어서 고양이는 지금 먹이를 먹을 수가 없다.
1. 고양이는 아무렇지도 않은 척한다.
2. 낮잠을 잔다.
3. 잠에서 깨어나자마자
앞발로 밀폐 용기의 뚜껑을 열고 먹이를 꺼낸다.

너, 숫자 셀 줄 알아?
1, 2, 3, 4, 5…….
주위에 소문은 내지 말아 주세요.

까마귀는 수학을 좋아해!

새들 역시 곧잘 좋은 아이디어를 내곤 하지요. 건축하는 새, 여행하는 새, 심지어 수학을 하는 새도 있어요. 그 가운데 제일 영리한 새는 까마귀와 앵무새랍니다. 아, 참! 숫자를 셀 줄 아는 새도 있지요.

이런 침팬지 본 적 있어?

새를 비롯한 동물들이 과일을 따거나 조개껍질을 깨거나 뭔가를 얻기 위해 도구를 사용하는 것……. 이것 역시 지능이 있다는 증거예요. 예를 들면, 침팬지는 흰개미를 즐겨 먹는데요. 어릴 때부터 개미집에 가느다란 막대를 마구 찔러 넣어요. 흰개미를 '낚기 위해'서요.

아이디어
이깟 도구쯤이야……. 한마디로 껌이지.
다 됐다. 이것 봐!

침팬지는 연구실에서도 종종 주목할 만한 아이디어를 내놓는답니다. 원

하는 상을 받기 위해서 생각을 하고 계획을 세우거든요. 그러다가 마침내 여러 물건을 사용해서 더 복잡한 물건을 만들어 내기도 하지요.

이래 봬도 깔끔이!

지능이 있으면 살아가는 데 매우 유리해요. 다른 사람들의 행동을 통해 학습할 수 있는 특권을 누릴 수 있으니까요. 그런데 알고 보면, 이것이 인간들만 가지는 특권은 아니랍니다. 일본과 대만에 주로 사는 마카크원숭이는 머리를 잘 쓰기로 유명해요.

어느 날, 마카크원숭이가 흙과 모래로 범벅이 된 식물의 뿌리를 발견했어요. 그 무리에서 제일 영리한 암컷 원숭이는 곰곰 생각에 잠겼답니다. 아무리 원숭이라 해도 흙투성인 채로 식물의 뿌리를 먹고 싶지는 않았던 거죠.

그러다 기발한 생각을 해냈어요. 식물의 뿌리를 근처의 바닷가로 가져가 바닷물에 깨끗이 씻은 거예요. 그러자 다른 원숭이들도 하나둘 똑같이 따라 했지요. 그날부터 마카크원숭이들은 식물의 뿌리를 물에다 씻어 먹기 시작했어요. 흙이나 모래를 같이 먹지 않게 되어서 모두들 매우 매우 만족해했다나요?

역시 영장류는
똑똑하다니까!

맨 처음 본 사람이 엄마라고?

콘라트 로렌츠(1909~1989)는 오스트리아의 동물 행동학자예요. 자연 속에서 살아가는 동물을 직접 찾아가서 연구하기도 하고, 또 집에서 야생 동물을 키워 보기도 하면서 동물들의 행동에서 본능이 아주 중요한 역할을 한다는 사실을 알아냈어요.

특히, 거위와 오리에 대한 연구를 통해, 조류는 태어나서 맨 처음 본 움직이는 존재를 어미로 인식하는 본능(각인 이론)이 있다는 사실을 발견한 것으로 유명하답니다. 1973년에는 카를 폰 프리슈·니콜라스 틴베르헌과 함께 동물 행동학에 대한 업적을 인정받아 노벨 생리학·의학상을 수상했지요.

로렌츠는 매우 다정하고 침착하며 유머가 넘치는 성격이에요. 위의 사진에서 보다시피, 머리는 하얗게 셌지만 숱은 아주 풍성하답니다. 사진 속의 로렌츠는 비엔나 근처에 있는 자기 집 정원의 작은 연못에서 야생 거위들과 수영을 하는 중이에요. 로렌츠가 따뜻하게 품어 준 덕분에 알을 깨고 갓 나온 아기 거위들이지요.

거위들은 로렌츠를 '엄마'라고 생각해요. 그래서 산책하는 로렌츠의 뒤를 줄지어 아장아장 따라가기도 하지요. 로렌츠는 지금, 앞서 말한 각인 이론을 증명해 보는 중이에요. 각인 이론에 따르면, 어떤 아기가 생물학적 어머니가 아닌 다른 엄마로부터—그러니까 콧수염을 기른 남자라 해도— 보살핌과 사랑을 정성껏 받는다면 진짜 엄마로 생각하게 된다는 거예요.

로렌츠는 아주 많은 실험을 통해 이러한 이론을 세상에 내놓았지요. 동물들을 연구하면서 인간 세계와 유사한 점들을 발견해 내고, 동물 세계와 인간 세계를 합리적으로 비교하는 데 기여했답니다.

엄마!
엄마!
엄마!
각인

인간과 동물의 차이

동물의 행동을 연구하는 학문을 '동물 행동학'이라고 하는데, 로렌츠는 이 학문의 아버지로 알려져 있어요. 그의 연구 이후에 많은 과학자들이 동물의 행동을 연구하면서, 좋은 면에서든 나쁜 면에서든 인간과 동물의 비슷한 점을 밝혀냈지요.

아이디어

인간과 동물의 가장 큰 차이는 자신의 지식과 새로운 행동을 같은 종의 다른 구성원에게, 특히 자식과 손자와 후손에게 전달하는 법을 습득하는 능력에 있답니다.

동물도 당연히 번득이는 아이디어를 낼 수 있어요. 쓸모 있거나 도덕적이거나 새로운 행동을 발견할 수도 있고 배울 수도 있지요. 하지만 그러한 것들이 유전적으로 후대에 전해져 고정된 후 '본능'으로 자리 잡지는 못한답니다. 다음 세대에 가면 언제 그랬냐는 듯 까맣게 잊히고 말거든요.

하지만 인간은 다르답니다. 수많은 발견과 발명은 언어의 발달에 힘입어 다양한 의사소통 수단을 통해 빠르게 퍼져 나갔어요.

프링스에서 'J. J. 그랑빌'이라는 필명으로 활동했던 풍자 화가 장 이냐스 이지도르 제라르(1803~1847)가 그린 그림이에요. 세밀화를 그렸던 아버지에게서 그림을 배웠다고 해요. 그 당시 사회와 정치 현실에 대한 기발한 풍자화로 이름을 날렸답니다.

그리하여 지금 전 인류의 빛나는 유산이 되었지요. 우리가 앞으로 읽게 될 《세상을 바꾼 천재들의 100가지 아이디어》처럼 말이에요.

아이디어
착!
착!
착!

번쩍번쩍 번개와 함께 인류의 역사가 시작되다!

번개가 하늘을 쫙 가르며 땅으로 내리꽂혔어요. 오래된 나무가 번개를 맞아 불타면서 숲이 온통 불바다로 변했답니다. 바람을 타고 사방으로 불길이 번지고 있네요. 동물들이 앞 다투어 숲에서 도망치고 있어요.

1 인류 최초의 천재, 불을 발견하다

불바다가 된 숲에서 도망을 치지 않고, 오히려 그 불씨를 간직한 최초의 사람이 누구인지는 아무도 모릅니다. 아마도 키가 1미터 남짓에다 몸에 털이 많았던 인류의 조상이었을 거예요. 호모 사피엔스에 속하는 인류가 아니라, 칠십만 년 전이나 백만 년 전쯤에 아프리카와 중국에 흩어져 살았던 인류겠지요.

우리 조상들은 아주 오래전부터 돌을 도구로 사용했어요. 돌을 서로 맞비비거나 잘게 부술 때 마법처럼 불꽃이 생기면서 주변으로 튀지요. 그때 불꽃이 마른풀에 떨어져 불이 붙는 걸 본 사람은 한둘이 아니었을 거예요.

사람들은 곧 불로 익힌 고기가 아주 맛있다는 걸 알게 되었어요. 그렇다면 인류 역사상 최초로 천재적인 아이디어를 낸 사람은 누구일까요? 마른풀에 붙은 불씨를 꺼뜨리지 않고, 나뭇잎과 장작으로 계속 살려 나간 사람이 아닐까요? 그리고 사냥해 온 짐승을 모조리 잡아먹지 않고 살려 둔 채 키우려 마음먹은 사람이겠지요. 그야말로 진정한 천재라고 할 수 있어요.

인간, 한 곳에 정착하다

불을 관리할 수 있게 된 뒤로 놀라운 일이 벌어졌어요. 맛있는 요리를 개발해 냈을 뿐 아니라, 서로 간에 나누는 대화의 수준이 현저하게 높아졌지요. 놀라운 일은 그것뿐만이 아니에요. 수시로 바뀌는 기후 때문에 한 곳에 머물지 못하고 이리저리 떠돌아다니던 생활을 그만하게 된 거예요. 따뜻한 지역에 자리를 잡고서 추운 계절을 견딜 수 있게 된 거지요. 이른바 '정착'을 하게 된 셈이에요. 일 년 중 해가 잘 비치지 않아 가장 추운 겨울에 빛과 온기를 미리 준비해 자연이 가져다준 역경을 물리치게 된 거랍니다.

나야, 나! 내가 맨 처음 불을 발견했다고!

온 세상이 죄다 불길에 휩싸였어요. 문득 불과 물은 상극이라는 생각이 들었지요. 나는 곧장 강으로 달려갔어요. 크고 작은 포유류들과 뒤섞인 채 달리고 또 달렸답니다.

시간이 얼마나 지났을까요? 마침내 강가에 다다랐어요. 물속으로 뛰어들고 나서야 비로소 안전해진 듯한 기분이 들었답니다. 다행히 물은 그다지 깊지 않았어요. 나는 마음을 가라앉히고 반대편 강가로 어기적어기적 건너갔지요. 잠시 뒤, 몸놀림을 멈추고 뒤를 돌아보았답니다. 여전히 숲속은 활활 불타고 있었어요. 그리고 강가로 모인 사람과 동물들은 옆에 누가 있든 말든 전혀 신경 쓰지 않은 채 강을 건너기 위해 헤엄을 치느라 바빴지요.

밤새 언덕이 불에 다 타 버렸어요. 해가 하늘로 떠오르자, 시커멓게 타 버린 언덕 위로 연기가 하얗게 피어올랐답니다. 그때 여기저기서 어린아이들의 울음소리가 들려왔지요. 노인들은 입을 꾹 다문 채 그 광경을 그저 묵묵히 바라보았어요. 그저 자신들이 무사하다는 사실만으로 무척 기뻐하는 듯했답니다.

나는 용기를 내어 반대편 강가로 올라갔어요. 발을 내디딜 때마다 매우 조심을 해야 했지요. 불에 탄 풀들이 아직 뜨거웠거든요.

아아아아악!
지지직!

일단 뭐라도 먹을 만한 게 있는지 찾아봐야 했어요. 그때 불에 탄 동물의 고기가 눈에 띄었지요. 한입 베어 물자, 뜻밖에도 아주아주 맛있었답니다. 불의 정령이 나쁘기만 한 건 아닌 셈이었어요. 나는 타다 만 나무토막을 하늘로 들어 올린 뒤, 강 건너 바위에 모여 있는 친구들을 향해 흔들었지요. 앗, 그때 바람이 휙 불어오더니 나무토막에서 불꽃이 되살아나지 뭐예요?

불의 두 가지 얼굴

며칠 동안 친구들은 의심스러운 눈초리로 나를 지켜보았어요. 심지어 가까이 오지도 않았지요. 지금은 매일 밤 내 형제와 자매들은 물론, 몇 명 안 되는 우리 부족 사람들이 모두 모닥불 근처로 모이지만요. 신기하게도 사자와 늑대는 불 가까이에 오지 않아요.

이제는 낮에 잡은 사냥품뿐 아니라 열매도 불에 구워서 먹는답니다. 사냥꾼들은 구운 고기를 매우 맛있게 먹었어요. 고기가 부드러워져서 덜 씹어도 되는 데다 이야기를 나눌 수 있는 시간이 더 많아졌지요. 낮에 사냥을 하면서 겪었던 일들을 늘어놓으면서 웃음꽃을 피운답니다. 아직은 말보다 동작을 더 많이 사용하지만요.

그래도 나는 다 알아들어요. 오늘은 사냥꾼들에게서 커다란 이빨을 가진 맹수와 남자 세 사람의 키를 합친 것보다 더 큰 초식 동물 이야기를 들었어요. 사냥꾼들은 산신의 목소리를 들었다고도 했지요. 강의 신과 나무의 신이 내는 목소리를 들었다나요? 사실은 모닥불이 우리를 비추면서 그림자가 길게 생기는 바람에 일어난 일이에요. 실제로 그림자는 손에 잡을 수 없는 악령과 비슷한 면이 있기도 하지요.

> 세상을 바꿀 만큼 혁명적인 아이디어는 모두 다음과 같은 세 가지 연쇄 반응을 불러일으킨다.
> 1. 흠, 그건 도저히 실현 불가능한 아이디어야.
> 2. 실현 가능하긴 하지만, 굳이 그렇게 해야 할 가치가 있을까?
> 3. 내가 좋은 아이디어였다고 전부터 늘 말해 왔잖아.
>
> —아서 C. 클라크

2 구석기 시대 최고의 아이디어, 언어

새로운 의사소통 방식이 나타나다

육백만 년 전부터 지금까지 수많은 종류의 인류가 지구상에 나타났다가 사라졌어요. 인류는 직립 보행을 하게 된 뒤로 놀라운 발전을 이어 가지요. 시간이 지날수록 점점 더 뛰어난 능력을 가지게 되었답니다. 뇌는 이전보다 적어도 세 배가량 더 커졌어요. 그만큼 더 쉽게 배우고, 또 기억할 수 있게 된 거예요. 그와 동시에 자신의 생각을 널리 알릴 수 있는 놀라운 능력을 갖게 되었지요. 바로 언어가 나타난 거예요!

반짝!

언어는 생각이나 느낌 등을 표현하거나 전달하기 위하여 사용하는 사회적으로 관습화된 소리 또는 문자인데요. 이때는 문자까지 생기지는 않았어요. 동작이나 그림 등으로 다른 사람과 의사소통을 하던 시절이었거든요. 그러다가 소리가 만들어지기 시작한 거예요.

우리는 어릴 때부터 엄마 아빠를 비롯해 주변 사람들의 말을 들으면서 언어를 배우지요. 우리 조상들은 그런 언어가 없었기 때문에 모두 다 새롭게 만들어 내야 했어요. '엄마'라는 말 다음에 만들어진 최초의 어휘는 '배고파'였을 거예요.

메모트?
미트? 무츠?
무트? 엄마?
음, 저건…….

그다음에는 아마도 '도와줘' 정도가 아닐까요? 그 뒤에는 '내가 여기서 뭐 하는 거지?!'였을지도 몰라요. 누군가 열매를 가리키며 '맛있는'이라는 형용사를 만들어 내고서 미소를 함빡 지었을지도 모르고요. 또, 얼굴을 잔뜩 찡그리면서 '맛없는'이라는 형용사를 만들었을 수도 있지요. 그렇게 언어의 문명이 시작되었답니다.

낱말은 꼬리에 꼬리를 물고

모닥불 주위에 모여 앉아 있을 때나 여럿이 사냥을 하러 갔을 때, 또는 돌로 도구를 만들 때 수많은 명사와 동사가 서로 엮이면서 언어가 풍부해져요. 인간은 다른 여러 동물들보다 발성 기관이 작아서 소리를 내기가 쉽지 않답니다. 그런데도 발성 기관을 어떻게 사용하는지 배워서 새 낱말을 끝도 없이 만들어 내지요. 말하자면 언어는 인간이 자신의 지식을 자식과 손자뿐 아니라, 부족의 다른 구성원에게 전하게 해 준 가장 위대한 아이디어인 셈이에요.

사물에 이름을 붙이는 일은 매우 즐거운 일이에요.
양, 구름, 사자, 사슴, 아저씨 등등.
다만, 사냥을 갔을 때 친구들이 그 사물을 똑같은 이름으로
부르지 않으면 심각한 문제가 생길 수 있어요.
의사소통이 이루어지지 않으니까요.
말하자면 언어는 구성원끼리의 약속이자 규칙인 셈이에요.

3 동굴에 생각을 새기다, 벽화

후손들을 위한 기록

인간은 자신이 살던 곳에 지울 수 없는 흔적을 남기기도 해요. 바위를 비롯해 동굴의 벽과 천장에 그림을 그리는 거지요. 그림의 내용은 매우 다양해요. 사람, 동물, 지도는 물론, 심지어 살해 장면까지 담아내고 있거든요.

그런데 이런 그림은 왜 그렸을까요? 아마도 자신들의 놀라운 경험을 다음 세대에게

전하고 싶어서일 거예요. 동물을 사냥하는 모습을 그리는 경우도 있고, 사냥꾼이나 부족장, 혹은 위대한 지도자에게 경의를 표하는 내용의 그림도 있어요. 모두 후손들을 위해 그린 거지요.

아마도 몇천 년 동안 그 그림이 고스란히 남아 있을 거라고 생각하지는 않았을 거예요. 그저 동굴 벽화에 불빛이 만들어 내는 그림자들처럼 마법 같은 힘이 그 속에 스며 있다고 믿었을지도 몰라요. 앞으로 하게 될 사냥에서 좋은 징조가 있기를 바라며 벽에 그림을 그리거나 새기기도 했을 테고요.

또, 벽에다 수많은 손을 그려서 부족 구성원의 수와 힘을 나타내기도 했지요. 혹시라도 그곳을 지나가게 될 미지의 사람에게 진지하게 경고를 하고 싶었던 걸까요? 아주 단순한 기호를 반복적으로 그려 놓아서 그 의미가 알쏭달쏭한 경우도 있어요.

수천 년을 뛰어넘은 명작, 알타미라 동굴 벽화

때로는 스페인 알타미라 동굴의 들소 그림처럼 자못 세밀하게 그려진 작품도 있어요. 예술 작품에 버금가는 빼어난 실력에 감탄사가 절로 비어져 나오게 하지요.

그런 벽화는 수천 년이란 세월이 흐른 뒤에도 많은 사람들에게 찬사를 받으며 뛰어난 작품으로 손꼽히게 되어요. 모든 벽화에는 생각과 메시지, 역사, 그리고 영원히 반짝이는 아이디어가 담겨 있답니다.

4 인간이 사용한 최초의 도구, 돌

도구에 눈을 뜨다, 뗀석기

아들아,
머지않아 이걸 전부
너에게 물려줄 것이다.

우리는 엘리베이터를 비롯해 시계, 운동화, 가방, 컴퓨터처럼 수도 없이 많은 물건과 도구를 사용하지요. 그것들을 하나하나 나열하려면 천 페이지로도 부족할 거예요. 그런데 우리 조상들은 수백만 년 동안 자연에서 구할 수 있는 것들만 이용했어요. 바로 나무토막이나 동물 뼈, 돌 같은 것들이었지요.

우지직
뿌드득!
쳇!
탁!

인간이 '만든' 최초의 석기는 '뗀석기'라고 불러요. 돌을 깨뜨리거나 떼어서 도구를 만들었지요. 이때만 해도 저절로 깨진 돌과 크게 구별이 되지 않았답니다.

뗀석기는 동물을 죽이는 도끼로 자주 사용되었어요. 죽은 동물을 크게 잘라 여럿으로 나누고, 또 뼈에서 살을 발라내고 털을 제거할 때도 유용하게 쓰였고요. 그렇다고 뗀석기가 우연히 만들어진 거라고 생각하면 큰 오산이에요.

설핏 보면 아주 볼품없이 생긴 듯해도 정확한 목적을 가지고 고안되고 제작되었거든요. 어떤 의미에서는 부족 전원이 힘을 합쳐서 만들었다고도 할 수 있어요. 수백만 년이 흐르는 동안, 도구의 종류는 점점 더 늘어났답니다. 그만큼 돌을 깨는 기술도 차츰차츰 정교해졌고요. 나중에는 양면 도끼(부싯돌)와 날카로운 날은 물론, 나무토막에 구멍을 뚫거나 뼈에 조각을 새길 때 쓸 수 있도록 끝이 뾰족한 석기까지 만들어 냈거든요.

심지어는 흑요석과 같은 화산암을 수백 킬로미터나 떨어진 곳에서 가져와 재료로 사용하기도 했어요. 흑요석은 검은빛을 띠는 유리의 일종이에요. 목걸이나 팔찌 등 장신구에 흔히 쓰여서 준보석이라 일컫는답니다.

여기, 흑요석
필요한 사람 없소?
혹시 남는 고기가 있다면
내 흑요석하고
물물 교환합시다!

대략 12,000년 전,
손으로 물건을 만드는 호모 사피엔스의
능력은 최고 수준에 도달했어요.
아무도 뛰어넘을 수 없는
수준에 이르렀을 뿐 아니라…….

사실 구석기 시대에도 여러 가지 물건이 발명되었어요! 음, 이백만 년 전에 우리 조상들이 빙 둘러앉아서 돌을 깨고 떼면서 다양한 도구를 만들던 게 엊그제 같은데, 바야흐로 새로운 돌의 시대가 이제 막 막을 열려고 하네요.

이건 도끼예요!
그리고 백만 년
뒤에……
놀라운
아이디어가
탄생했지요!
……요렇게 손잡이를
만들었거든요!

신석기 시대엔 역시 간석기!

구석기 시대에 인류는 매우 다양한 방식으로 돌을 사용했어요. 그러다가 부싯돌(거의 규소로만 구성된 퇴적암)이 다른 돌보다 쉽게 깨져서 도구를 만들기에 아주 수월하다는 사실을 깨치게 되었지요. 그래서 대략 일만 년 전쯤부터는 돌을 깨지 않고 갈아서 석기를 만들기 시작했답니다. 바야흐로 새로운 돌의 시대, 즉 신석기 시대가 열린 거예요. 이 시기는 빙하기가 끝나는 시기와 일치해요. 이 시기에 최초의 문명을 탄생시키게 될 여러 가지 반짝이는 아이디어가 줄을 잇게 된답니다.

최초의 공동 주택, 동굴

인류가 맨 처음 만든 공동 주택 역시 돌로 지어졌어요. 바로 동굴이거든요. 자연적으로 생겨난 동굴에서 돌을 파낸 다음, 사람이 살아가기 좋도록 개조를 해서 이용한 거지요. 터키와 아프가니스탄, 그리고 중동의 여러 동굴 지역에는 호모 사피엔스와 네안데르탈인이 구석기 시대 말까지 거주한 흔적이 많아 남아 있어요. 돌을 파내고 치워서 거주하기 적합하게 만드는 아이디어! 오, 멋지지 않나요?

이건 부싯돌로
만든 긁개야!

원시 시대에 사람들이 모여 살았던 터키의 거주 지역, 카파도키아. 터키의 수도인 앙카라에서 남동쪽으로 가면 '카파도키아'라고 불리는 암굴 도시가 나와요. 깔때기를 엎어 놓은 듯한 수백만 개의 기암괴석이 계곡을 따라 끝없이 펼쳐진답니다.
겉으로만 보면 바위에 구멍이 몇 개 뚫려 있는 것 같은데, 안으로 들어가면 사랑방과 안방이 있고, 창고와 부엌도 따로 갖춰져 있어요. 아래층에 소와 노새를 위한 우리가 있는 집도 있고, 2~3층 밑으로 파고 들어가서 대가족이 살기에 넉넉하게 지은 집도 있지요. 꼬불꼬불 미로 같은 연결 계단도 있고, 연기를 밖으로 내보내고 바깥의 신선한 공기를 빨아들이는 통풍로도 있답니다.

살 곳을 찾아 이동하는 이들의 위대한 아이디어

모두 길을 떠나고 있네요. 집과 숲, 우물을 두고 어딘가로 하염없이 떠나갑니다. 왜가리, 도요새, 검둥오리 들이 그렇게 떠나가지요. 들소와 사자, 하이에나도 마찬가지예요. 우리 인간도 예전에는 그랬답니다.

자, 자,
이제 떠날
시각이야!

5 떠나야 할 때를 알다

동물들은 떠나야 할 때를 알고 있습니다. 짝짓기를 하고 새끼를 낳아서 키울 만한, 그러니까 먹이가 있는 곳을 찾아가야 할 시기를 본능적으로 알고 있는 거지요. 대부분 계곡으로 내려가거나 북쪽이나 남쪽으로 길을 떠나요. 이왕이면 풀이 무성하게 자라는 곳이 좋겠지요? 동물들 가운데 나비와 새와 코끼리는 '이동'에 대한 생각이 유전적으로 몸속에 새겨져 있어요. 우리 조상들도 계절이 바뀔 때마다, 또 해가 바뀔 때마다 동물들을 따라 이동했답니다.

인류 최초의 시계, 해

나는 제법 똑똑한 편이에요. 하루하루를 관찰하다 보니, 우리가 살아가는 데 '해'가 아주 중요한 역할을 한다는 사실을 깨달았어요. 어떨 때는 해가 지면서 우기가 시작되더군요. 또, 해가 뜨면 들판에 꽃이 만발하고 과일이 무르익고요. 해가 뜨거울 땐 늑대가 계곡으로 내려오기도 해요.
나는 '해'가 인류 최초의 시계이자 최초의 달력이라는 사실을 발견했어요. 해는 수백만 년 전부터 하늘의 같은 위치에서 움직이고 있었지요. 하지까지는(북반구에서는 6월 21일) 점점 더 높아져서 눈부신 햇빛이 풍부하게 비쳐요. 반면에, 동지까지는(북반구에서는 12월 21일) 점점 더 낮아져서 밤이 길어지고 추위가 찾아들지요.

일 년 뒤에도 똑같은 일이 일어났어요. 지난해와 똑같은 시기에 똑같은 지점에서 해가 떠올랐다가 똑같은 산 너머로 진다는 사실을 알아차렸지요. 이런 일은 해마다 반복되었답니다. 게다가 나는 해가 산마루로 지고 난 뒤에 어떤 일이 벌어지는지도 알게 되었어요.

터키 동남아나톨리아 지역의 산맥 능선 꼭대기에 있는 유적지, 괴베클리테페. 터키어로 '배 모양의 언덕'을 뜻하는데, T자 모양의 석회암 거석들이 동그란 모양으로 둘러서 있다. 그 거석들 중 일부는 높이가 5m가 넘고 무게가 50t 이상 나간다. 기원전 9천~1만 년에 만들어진 것으로 추정돼 영국의 스톤헨지보다 6천 년가량 앞선 것으로 보이며, 초기 신석기 시대의 신전이었을 것으로 짐작하고 있다.

달이 커졌다가 작아졌다가

달은 자연이 우리에게 선물해 준 또 하나의 거대한 시계랍니다. 지구의 위성인 달은 매일같이 모습이 변해요. 아무것도 없는 하늘에서 가느다란 낫 모양의 달이 나타났다가, 일주일이 지나면 반달로 바뀌지요. 다시 일주일이 지나면 점점 더 커져서 보름달이 되고요.

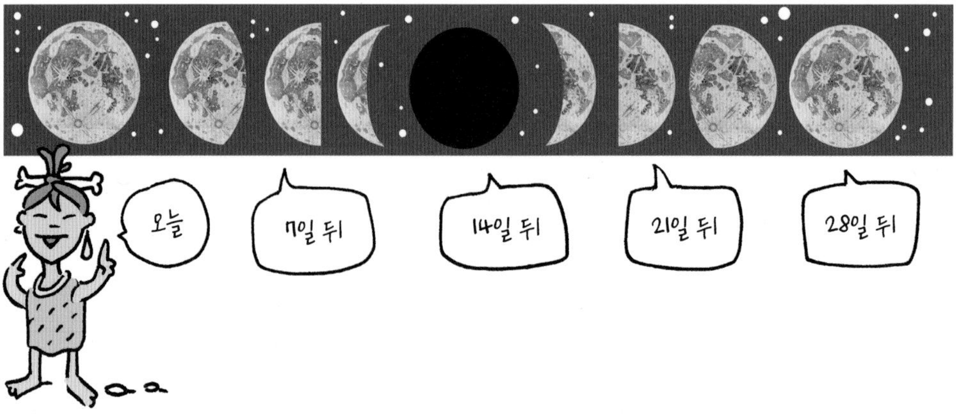

일주일 뒤에는 또다시 반달로 변하지만 이전의 달과는 반대랍니다. 그 뒤로 일주일이 지나면 어두운 밤하늘로 사라져 보이지 않는 듯해도, 사실은 그곳에 그대로 가만히 있어요. 그때의 달을 그믐달이라 불러요. 이 주기는 29일 반나절에 걸쳐 반복돼요. 그래서 사람들은 달을 이용해 축제를 열고 약속을 정하기 시작했지요. 그렇게 해서 달(月)과 주에 대한 아이디어가 탄생했어요.

지금도 서양과 동양의 수많은 축제가 달과 연결되어 있어요.
우리가 잘 아는 부활절 역시 달하고 관련이 있답니다.
첫 보름달이 뜨고 난 뒤에 찾아오는 일요일이 바로 부활절이거든요.
이번 축제는 언제 열 거야?
음, 다음번 보름달이 뜨는 날에!

6 세상에서 가장 아름다운 소리, 음악

시끄러운 소음에서 아름다운 리듬으로!

자연에서는 다양한 소리가 나요. 자연은 자신의 소리를 들을 수 있는 사람들을 위해 아주 놀라운 선물을 준비해 두고 있지요. 바람이 부는 소리, 파도가 밀려오는 소리, 나뭇잎이 사각이는 소리, 새들이 지저귀는 소리, 냇물이 졸졸 흐르는 소리 등등……. 모두모두 지구에 사는 생명체들이 내는 배경 음악이랍니다.

퉁!
퉁!
퉁!

이 가운데 어떤 소리는 다시 듣고 싶을 정도로 아름답고 상쾌해요. 그래서 인간은 자연이 준비해 준 것을 이용해 새로운 소리를 만들기 시작했어요. 처음에는 그저 바위로만 소리를 만들었지요. 그런 의미에서 한때 크게 유행했던 록(rock) 음악은 십만 년도 더 전에 탄생한 셈이에요.

나는 동굴에 가만히 앉아 있다가 놀라운 현상을 한 가지 발견했어요. 천장에 매달린 종유석 하나를 손으로 톡톡 두드렸더니, 꽤 듣기 좋은 소리가 어두운 동굴 속으로 길게 퍼지면서 메아리를 치는 거예요. 그 종유석보다 훨씬 짧지만 더 굵은 옆의 것을 툭 치자, 아까와는 전혀 다른 소리가 나는 거 있지요? 그래서 종유석을 차례대로 하나씩 다 두드려 보았어요. 순식간에 마법처럼 예쁜 소리가 만들어져서 널리널리 퍼져 나갔답니다. 그 덕분에 친구들이 벽에다 가젤과 들소를 그리는 동안, 나는 인류 최초의 동굴 음악회를 열었지요.

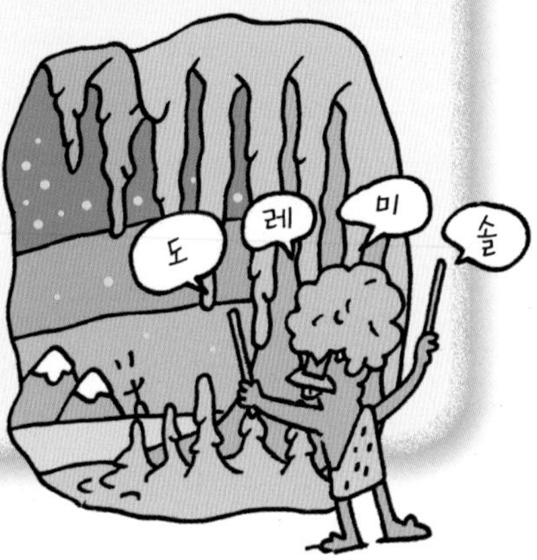

자연에서는 소리를 내는 것들을 수없이 많이 찾을 수 있어요. 텅 빈 나무의 몸통을 비롯해 대나무, 조개껍질, 거북이 등껍질, 말린 콩 등등……. 우리는 그 가운데서 마음에 드는 것을 고르기만 하면 되지요. 이걸 바탕으로 나중에 방울과 나팔, 캐스터네츠 등이 만들어진답니다. 이것만 있으면 어떤 소리든 소리를 만들어 낼 수 있어요. 요즘 한창 유행하는 힙합 음악도, 구석기 시대의 록 음악도 모두모두 말이에요.

음악은 시간 예술이다.

—이고르 스트라빈스키

식물과 동물 가죽을 이용한 악기

박을 햇볕에 말려서 마라카스(타악기 중 하나. 열매를 바짝 말린 뒤, 그 속에 씨알을 넣고 흔들어서 소리를 내요.)를 만들 수 있어요. 물론 다른 식물로도 얼마든지 악기를 만들 수 있지요. 바닷가에서 주은 조개껍질과 달팽이 껍질을 끈으로 엮어서 방울을 만들어도 되고요. 아가씨들은 춤출 때 그렇게 만든 방울을 발목에 매달기도 한답니다.

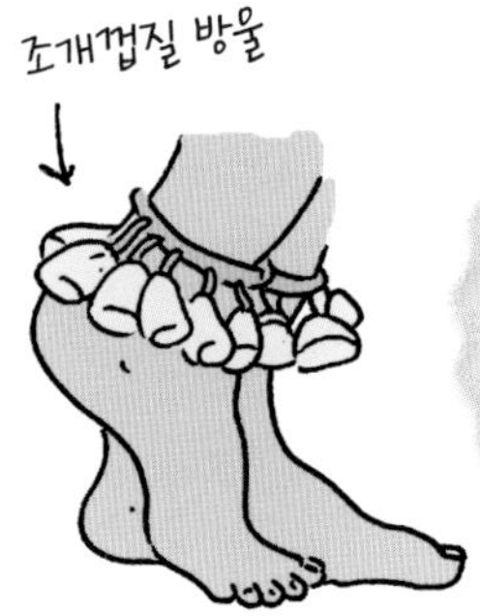

> 소리의 기본 요소는 삶의 요소와 동일하다.
> 소리가 작아서 귀에 잘 들리지 않는다 해도
> 우리는 얼마든지 감지할 수 있다.
> 또, 그 안에는 강력한 힘이 숨어 있다.
> 삶이 있는 곳 어디에나 소리가 있다.
>
> —이그나치 얀 파데레프스키

새들의 뼈는 속이 텅 비어 있어서 독특한 소리를 내요. 언뜻 휘파람소리 같기도 하지요. 대나무와 갈대로는 플루트와 기명악기(공기가 진동을 해서 소리를 내는 악기)를 만들 수 있어요. 원판을 공중에서 돌리면 윙~ 하고 음울하면서도 무거운 소리가 난답니다. 한마디로 요란한 굉음이지요. 언제 만들어졌는지도 아무도 모르지만, 지금도 동물들은 숲속에서 거대한 말벌 소리처럼 이상한 음악이 들려오면 귀를 쫑긋 곧추세우지요.

7 동물을 기르다, 사육

나는 우연히 새끼 늑대를 만나게 되었어요. 늑대와 살을 부빈 뒤 내 가죽 옷을 덮어 주었지요. 가엾게도 새끼 늑대가 몸을 바르르 떨고 있었거든요. 노인들은 내가 늑대와 함께 지내는 걸 마뜩지 않게 여겼어요. 동물은 사냥을 해서 죽인 뒤 가죽을 벗겨야 하는 걸로만 생각했으니까요. 모르긴 몰라도, 새끼 늑대의 부모 역시 그렇게 되었을 거예요.

하지만 우리 부족 중 그 누구도 이 조그만 털 뭉치를 해칠 용기를 내지는 못했어요. 새끼 늑대가 나를 너무나 사랑스런 눈길로 바라보고 있었으니까요. 어느새 새끼 늑대는 내 놀이 친구가 되었답니다. 아마도 앞으로 나랑 같이 커 가게 되겠지요. 너무 커서 야성적인 본능을 더 이상 누를 수 없을 때까지는요. 혹시라도 친구들을 찾아 숲으로 돌아가지 않는다면 영원히 내 친구로 지내게 될지도 몰라요.

넌 누구니?
혹시 고양이?

사람하고 살아도 괜찮은걸

어린 동물들은 사람에게 쉽게 길들여져요. 그래서 가젤과 야생 염소, 곰, 바다사자까지 매우 다양한 동물들을 기를 수 있었지요. 노루와 여우, 멧돼지, 야생 오리까지도 기르기 시작했답니다. 물론 때로는 인간과 함께 사는 게 적절하지 않아 보이는 동물도 더러 있었지만요.

우린 죽이 잘 맞아!

인간과 함께 사는 것이 어렵지 않을뿐더러 서로에게 이득이 되는 동물들도 있어요. 이런 동물들은 인간의 통제를 받으며 성장하다가 성숙해지면 새끼를 낳아요. 여러 세대가 지나면 이런 동물들은 점점 더 '집에서 기르는' 동물로 변해 가지요. 시간이 흐를

인간들하고
그럭저럭
잘 지내고 있어!
뭐, 우리를 잡아
먹어서 유감일 뿐이지!

수록 더 유순해지면서 인간에게 크게 도움을 준답니다.

그렇게 해서 야생 양과 염소가 가축이 되었어요. 집에서 기르고 사육되는 다른 동물들도 마찬가지예요. 그러니까 야생 동물에서 집에서 기르는 가축으로 변신한 셈이지요.

내가 사람하고 더 친해

우리 조상의 '훌륭한 아이디어' 덕에 제일 먼저 기르게 된 동물은 개일 거예요. 사실 개는 구석기 시대 사람들과 아주 유사한 습관을 가진 회색 늑대의 후손이에요. 늑대들은 떼를 지어 사냥을 하는 데다, 무리의 우두머리가 있으며, 초식 동물들을 따라 움직여요.

사냥을 함께하던 개는 마침내 인간의 '친구'가 되었지요. 그 뒤 양과 염소, 돼지, 소가 가축이 되었고요.

그중에서 소는 우리 조상들과 아주 특별한 관계를 맺기 시작해요. 사육되어 제물로 바쳐지기도 하고, 식용으로 사용되기도 했지만, 살아 있을 때는 매우 귀중한 대접을 받았어요.

이집트에서는 진짜 신으로 숭배를 받기까지 한걸요. 바로 아피스 신이었어요.

길들인다는 것은
관계를 맺는다는 뜻이야.
—앙투안 생텍쥐베리, 《어린 왕자》

최초로 길들여진
동물은 바로 우리라고!
그런데 우린
늑대의 후손이지!

쳇! 그러면 뭐 해?
우리는 신성시 되기도
했다고!

내 소변이 그렇게 좋아?

순록은 알래스카와 노르웨이, 스웨덴, 그린란드에서 살아요. 순록이 가축이 된 시기는 빙하기의 마지막 두 시대 사이로 17,000년이 훌쩍 넘었어요. 사실 순록은 사람의 소변 냄새를 좋아한다고 해요. 소변에 포함된 염분을 맛있게 섭취한다나요?

실제로 순록은 강제로 가축으로 만들 필요가 전혀 없었어요. 어쩌면 순록 스스로 '가축'이 되어야겠다고 마음먹었을지도 몰라요.

뭐 하는 거야?
나 따라오는 거니?
네!
향기가 좋아서요.

가축이 된 역사가 가장 짧은 동물은 고양이예요. 가끔씩 고양이가 우리를 길들인 게 아닌가, 하는 의심이 들기도 하지만.

육지의 번개, 바다의 번개

강물에 떨어진 나무 몸통이 물에 떠 있다가 강물에 실려 움직입니다. 나무 몸통 위에 균형을 잡고 서 있는 일은, 부족의 젊은이라면 누구나 할 수 있는 재미있는 놀이이자 도전이에요.

8 배를 타고 바다를 가로지르다, 항해

6만 년 전이야.
우리가 최초라고!

경계? 물론 존재한다.
하지만 사람들의 머릿속에만 있을 뿐이다.
—토르 헤위에르달

우리 인간은 여행자이기도 하고 항해자이기도 합니다. 17세기에 유럽인들에게 의해 '발견된' 오스트레일리아에는 이미 6만 년 전부터 사람이 살고 있었어요. 그 당시 오스트레일리아는 태즈메이니아에서 뉴기니에 이르는 거대한 대륙이었지요. 빙하기 때 해수면은 지금보다 100미터 이상 낮았답니다. 군데군데 섬이 많았지만 대부분 물속에 가라앉아 버렸지요.

우리 조상들은 원시적인 배를 타고 섬과 섬 사이를 지나, 그 당시 유럽과는 전혀 다른 바람과 해류를 따라 항해를 하다가 육지에 도착했어요. 지금은 수백 킬로미터에 이르는 바다에 둘러싸인 곳이지요.

어떤 종류의 배로 그렇게 먼 거리를 항해했는지는 아직도 수수께끼예요. 큰 뗏목을 이용했을까요? 혹은 동물과 식물, 가족을 배에 태웠을까요? 배를 제일 먼저 제작한 사람은 누구일까요? 어쨌든 신석기 시대의 놀라운 아이디어인 것만은 분명합니다.

신석기 시대 항해의 역사

방주에 사람과 동물을 한 쌍씩 태워 대홍수에서 살아남은 노아의 신화가 탄생했을 때, 인간은 이미 노련한 항해자였습니다. 수만 년 전부터 크고 작은 바다를 항해했거든요. 십만 년도 더 전에 크레타섬을 비롯해 지중해의 여러 섬에 도착했어요.

방주 말입니까?
아주 천재적인
아이디어였지요!

강가에 사는 부족들은 이미 카누와 노를 만들었지요. 배를 만들기 위해 굳이 힘들게 나무 몸통의 속을 파낼 필요가 없었답니다. 호숫가나 강가에 무성하게 자라는 갈대를 넓은 띠로 엮어서 연결하기만 해도 충분했거든요. 이집트, 태즈메이니아, 페루의 티티카카호, 이탈리아 사르데냐섬 등에서, 서로 멀리 떨어져 살던 부족들이 똑같은 모양으로 그런 멋진 배를 만들었답니다. 수달이나 바다사자의 가죽으로 만든 옷을 입은 채 튼튼하지 않은 카누를 타고 넓은 바다를 항해하던 사람도 있었고요.

9 바람을 이용하다, 돛

마침내 누군가 바람이 항해에 도움이 된다는 사실을 알아차렸습니다. 최초의 돛은 가죽을 꿰매서 잇거나 식물 섬유를 꼬아서 만들었어요. 이집트에서는 최초의 대형 선박에 파피루스 돛을 매달았지요.

1947년에 노르웨이인 토르 헤위에르달은 발사나무 뗏목(콘-티키)를 만들어서 그것을 타고 페루에서 소시에테제도까지 6,000킬로미터에 이르는 거리의 태평양을 횡단했어요. 이 항해와 그 뒤 이어진 항해를 통해 그는 선사 시대에도 대양의 횡단이 가능했다는 것을 증명했지요.

나일강
유람선 여행을
환영합니다!!!

10 땅을 일구다, 농업

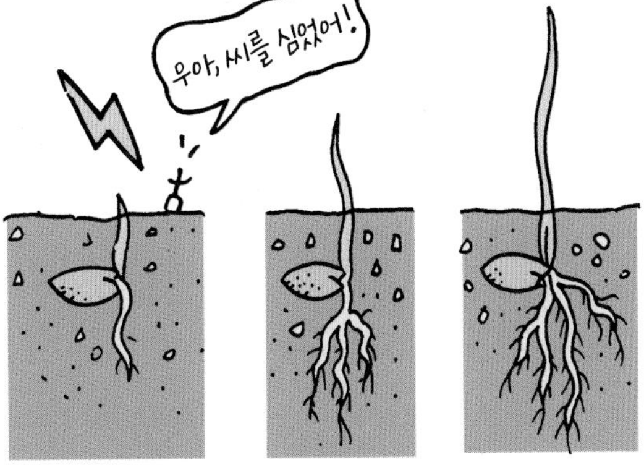
우아, 씨를 심었어!

수천 년 동안 인간에게는 돌아가야 할 진짜 집이 없었어요. 부족은 짐승 가죽이나 나뭇잎으로 만든 움막, 천연 동굴 등에서 몸을 피했다가 다른 곳으로 다시 떠나곤 했지요. 사람들은 딱히 서운해하는 마음 없이 마을을 버리고 훌쩍 떠나곤 했답니다. 그러고 나면 곧 그 자리에 나무와 풀이 자라거나 홍수가 나면서 마을이 통째로 사라져 버리곤 했어요.

수천 년 동안 인간은 북쪽에서 남쪽으로, 평야에서 산 위의 목초지로, 혹은 반대로 이동하는 초식 동물 무리를 따라 이주를 했어요. 인간들은 주로 사냥을 했고, 틈틈이 과일과 콩과 이삭들을 주워 먹으며 살았지요. 동물을 기르게 되었을 때에도 한동안은 계속 이동을 했답니다. 그러다가 번득이는 아이디어를 생각해 내었어요.

자연의 고귀한 선물

성공이다!
다시 싹이 터서
씨앗이 더 많아졌어!

우연히 어느 곳에 이르렀는데, 이삭과 열매와 뿌리가 널려 있었습니다. 강물이 범람할 때 실려 온 진흙으로 땅이 비옥해졌기 때문이에요. 먹을 것이 풍성한 까닭에 이곳에서 한 계절 이상 머물렀어요. 그러다가 문득 자연이 우리를 도와줄 수 있다는 걸 깨달았지요. 음, 씨앗을 땅에 묻으면 싹이 난다는 걸 알아차린 겁니다. 몇 달 뒤, 싹이 자라 멋진 식물이 되었고, 다시 씨앗이 20~30개씩 달렸어요. 그야말로 마법 같은 일이었지요. 어두운 땅속에서 씨앗이 죽지 않았을 뿐만 아니라 싹을 틔운 후 훨씬 더 많은 씨앗을 선물했으니까요. 우리는 이제 다른 곳으로 이주할 필요가 없어요. 씨를 뿌리면 곡식을 수확할 수 있으니까요. 남은 것은 겨울과 흉년이 든 해를 위해 보관해 둔답니다. 이 마법 덕분에 굶주림을 이기고 풍요롭게 살아갈 수 있지요.

농업에는 무엇보다 기다릴 줄 아는 기술이 필요하다.

마을이 생기다, 정착

이제 한 곳에서 잘 지낼 수 있으니까 굳이 이주할 필요가 없어요. 곡식 창고 주변으로 차츰차츰 오두막이 늘어났지요. 곡식 창고에 수확물을 보관합니다. 땅에 구덩이를 판 뒤 돌로 바닥을 깔아 창고를 만든 곳도 있고, 땅 위에 우뚝 솟아오르게 세운 곳도 있지요. 어떤 식물의 씨앗으로는 수프와 죽, 빵을 만들었어요. 나무나 돌절구로 씨앗을 갈아서 밀가루를 만든 거예요.

티그리스강과 유프라테스강 사이의 동부 아나톨리아 고원.
농업이 시작된 지역 중의 하나이다.

신석기 시대에 농사를 짓겠다는 놀라운 아이디어는
말 그대로 입에서 빵을 꺼낸 뒤
그것을 도로 땅에 묻는 데서 시작합니다.
그것이 땅속에서 자리를 잡아 싹을 틔우는 것을 보고
몇 달을 기다렸다가 처음 묻었던 씨앗의
서른 배가 되었을 때 수확을 하지요.

에머밀
밀
기장
보리

여가 시간이 생기다

씨를 뿌리기만 하면 다 되는 게 아니라고!
조용히 땅이나 갈아!

우리는 마을 주위에 울타리를 쳤습니다. 아직 한 군데 정착하지 못하고 이동하던 부족이 지나가다가 공격하는 일이 종종 일어났기 때문이에요. 그런 부족들은 농사를 짓기보다는 약탈을 더 좋아해요. 그것 말고도 여러 가지 변화가 있었지요. 곡식 창고가 신전으로 바뀌었거든요. 언젠가부터 우리는 신들에게 공물을 바치기 시작했어요. 그리고 부족의 구성원 모두가 농사를 짓지는 않았어요. 어떤 이는 밭에서 농사짓는 사람을 위해 농기구를 만들고, 마을을 지키는 사람들의 무기를 만들었지요. 식량은 이제 더 이상 문제가 아니었어요. 마을 사람들은 사냥을 하러 나가거나 열매나 이삭을 주우러 다니지 않아도 되었거든요. 그만큼 생각할 시간도 많아졌답니다. 바야흐로 축제를 즐기는 것뿐 아니라 멋진 아이디어를 낼 시간적 여유를 갖게 되었어요.

11 흙을 굽다, 토기

말랑말랑하고 촉촉한 흙

어느 날 길을 가고 있는데 흙 위에 발자국이 남았어요. 그 발자국 덕분에 나중에도 그 흔적을 쉽게 찾을 수 있었지요. 다른 곳의 흙과 달리, 부드럽고 촉촉한 반죽 같아서 동물이나 그릇, 대지의 여신상 등 원하는 모양을 만들기가 매우 쉬웠답니다. 게다가 마르면 돌처럼 단단해져서 물이나 씨앗, 과즙을 담는 용기로도 너끈히 쓸 수 있었어요.

진흙 혹은 점토는 색깔이 다양합니다. 회색, 흰색, 노란색, 빨간색, 갈색, 심지어 검은색 흙까지 있어요. 진흙은 특별한 물질이에요. 햇볕에 말리면 그 안에 들어 있던 수분이 대부분 날아가고 형태는 그대로 유지가 되거든요.

최초의 토기는 그렇게 탄생했어요. 곧 햇볕에 말리던 방법에서 불에 굽는 방법으로 발전을 하지요. 어떤 물건을 불에 구우면, 더 정확히 말해 온도가 600도에 이르는 가마에 넣으면 진흙의 수분이 완전히 사라져 버려요.

토기의 표면은 유리처럼 매끄러운 데다 물이 스며들지 않아요. 그렇게 해서 만든 항아리에 곡식과 향료, 물, 포도주를 담았지요. 굽기 전이나 후에 장식을 하거나 색깔을 넣기도 해요. 그런 토기를 '도자기'라고 불러요.

가마에 굽는 게
더 좋군!
지지직!

1,400년 전, 중국에서는
하얀 진흙으로 아름다운 도자기를 만들었어요.
마르코 폴로가 '백금'이라고
부를 정도로 보얀 빛깔이었답니다.

12 단단하고 튼튼해, 벽돌

벽돌은 나무틀로 만든 단순한 평행육면체입니다. 지금도 세계 여러 곳에서 진흙과 짚으로 만들어서 햇볕에 말리지요. 좋은 진흙으로 가마에 구워서 만들면 돌처럼 단단하고 튼튼해요.

벽돌은 그 자체보다 그것을 만드는 '틀', 그러니까 별로 큰 힘을 들이지 않고 놀라운 결과물을 무한히 만들어 낼 수 있는 조그맣고 간단한 구조를 발명한 게 더 위대하다고 할 수 있어요.

도자기는 2만 년 전 한국과 일본, 중국, 그리고 사하라같이 멀리 떨어진 장소에서 발명되었어요. 그 당시 사하라는 호수와 초원이 여기저기 자리한 초록 지대였지요.

툭

하늘 높이 쌓다, 바벨 탑

마침내 우리는 하늘에 도전을 했어요. 그때는 바빌로니아를 '바벨'이라 불렀지요. '신의 문'이란 뜻을 품고 있답니다. 우리 부족은 바벨에 벽돌을 하나하나 쌓아 올려 성벽과 신전, 수조, 제방, 운하를 건설했지요. 그러다 세상에서 제일 높은 탑을 쌓자는 아이디어가 나왔어요. 그렇게 해서 바벨 탑이 세워졌는데요. 고대 그리스의 역사가 헤로도토스는 바벨 탑의 높이가 무려 90미터나 된다고 주장했지요. 현대 과학자들은 약 7층 높이 정도로 보고 있고요. 지금으로부터 약 3,400여 년 전에 세워졌으리라 추정하고 있어요. 90미터인 사각형 토대 위에 쌓아 올렸는데, 끝까지 완성했다면 구름까지 닿았을지도 몰라요.

다 됐어?
어떤 언어로 말해야 하지?

의류와 함께 시작된 문명의 아이디어

옷을 입어야겠다는 아이디어는 필요에 의해 생겨났어요.
추울 때는 옷을 두껍게, 따뜻할 때는 얇게 입게 되지요.
그리고 곧…… '패션'의 세계로 이어져요.

너희는 곧 아르마니를 입게 될 것이다!

13 옷을 입다, 의류

생가죽을 부드럽게, 무두질

수백만 년 동안, 우리 조상들은 동물의 털과 가죽 조각으로 옷을 만들어 입었습니다. 우리는 지금 몸에 맞게 잘 마름질해서 동물 힘줄로 꿰맨 바지와 윗도리를 입고 있어요. 동물 뼈로 만든 바늘로 바느질을 한 거지요. 보기에는 멋진데 냄새가 조금 난다는 게 문제랍니다. 그러다 뜨거운 온천물에 동물 가죽을 씻으면 털을 쉽게 제거할 수 있는 데다, 그 물에 나뭇가지와 나뭇잎을 넣으면 가죽이 훨씬 부드러워지고 냄새도 나지 않는다는 걸 알아냈어요. 가죽의 무두질을 발명한 셈이지요.

무두질이 안 돼서 그래요!

어때요?

옷감 짜기, 직조

실을 자아 옷감을 짜는 아이디어는 신석기 말쯤에 생겨났어요. 그 무렵 사람들은 덩굴과 식물 섬유로 망을 만들어서 물고기를 잡거나 사냥을 했답니다. 오래전부터 갈대를 비롯해 여러 식물 줄기로 바구니와 깔개, 그릇을 만들었지요. 실을 세로 방향으로 팽팽하게 놓은 다음(날실), 다른 실을 가로로 해서(씨

중국에서는 이미 8천 년 전에 최고급 직물을 생산했어요. 바로 비단인데, 누에나방의 고치에서 뽑아 낸 실로 만들었지요.

실) 직각으로 교차시키는 방법이 벌써 사용되었어요. 신석기 시대에 최초의 마을이 생겼을 때 이미 천을 짜기 시작했거든요. 페루에서 중국까지, 메소포타미아에서 이집트까지 세계 전역에서 비슷한 시기에 천을 짜서 사용했답니다. 최초의 직물은 아마, 피나무, 삼나무 섬유로 만들었을 거예요.

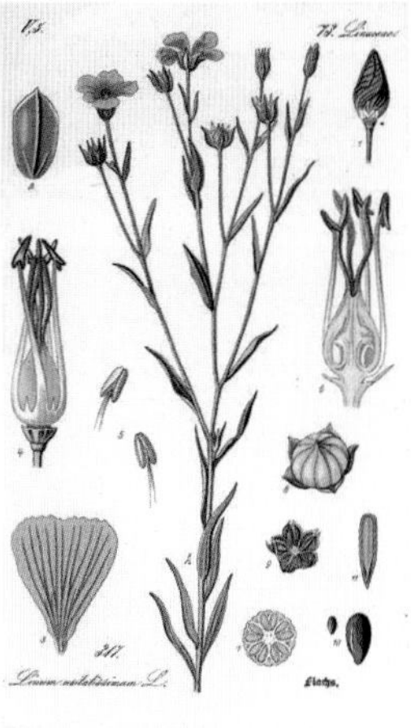

8,000여 년 전부터
재배한 아마.

패션이 시작되다

요즘에는 옷을 입는 게 너무나 당연한 일이에요. 추운 계절에는 면으로 된 후드 티셔츠를 입고 그 위에 다운 점퍼를 걸치지요. 무더운 계절에는 가뿐하게 반바지에 티셔츠 하나만 입고요.

그런데 유행을 선도하는 세련된 옷 뒤에는 복잡한 생산 과정이 숨겨져 있어요. 아주 소박한 티셔츠의 경우도 마찬가지예요. 옷을 만드는 과정에서 많은 사람의 노동이 필요하거든요. 우선 식물을 경작하거나 석유를 추출할 장치를 만들어야 한답니다. 그 뒤에는 실을 잣고 천을 짜는 기계와 옷을 만들어 내는 시설이 있어야 하지요. 이런 과정을 거치지 않고 혼자서 옷을 만들어 입는 것은 생각보다 어려워요. 바로 여기서 패션 산업이 시작되었지요.

가만히 좀 있어!
네 털만 깎을 거야!
매애!

여러분, 인내심을 가져야 해요!!
방추

여러 가지 섬유

동물 섬유는 양털, 또는 비큐냐나 알파카 같은 낙타과의 동물에게서 얻어요. 식물 섬유는 아마와 대마, 면에서 나오고요.

실 잣기 작업

직물을 만들려면 굵기가 일정하면서 아주 기다란 실이 필요해요. 실은 길고 긴 수공 작업, 즉 실 잣기 작업으로 만들어지지요. 실 잣기는 20센티미터 길이의 가느다란 막대, 즉 방추를 이용해서 섬유 뭉치에서 실을 뽑아 꼬는 거랍니다.

베틀로 천 짜기

날실을 거는 데 사용된 도구예요. 지금도 사용하고 있지요. 그 무렵에는 땅에 막대 두 개를 수직으로 꽂아서 만든 가장 단순한 형태의 베틀을 사용했어요. 바닥과 평행하게 두 개의 막대를 수평으로 배치한 뒤 추를 이용해 실을 팽팽하게 당기는 거예요. 그런 다음에 뾰족한 뼈로 만든 실을 푸는 북을 수평으로 날실에 통과시켜서 천을 짠답니다.

날실
그러니까 천을 짜는 거야!
그거, 옛날이야기 같은데?

그러면 신발은 어떨까요?
신발은 신석기 시대부터 착용했어요.
가죽, 정확히 말하면 무두질한 동물 가죽으로 만들었지요.
깨끗하고 부드러운 가죽을 만들기 위해
이집트인들이 최초로 명반(광물)을 사용했던 것 같아요.
파라오들은 샌들……, 그러니까
그때부터 플립플랍을 신은 셈이에요.

14 돌을 녹이다, 금속

진흙으로 빚은 항아리나 작은 상을 가마에서 구울 때, 일정 온도 이상으로 올라가면 돌 가마에서 뜨거운 물방울이 스며 나와요.

반짝이는
돌들이 녹아요!
반짝!

헉, 돌이 녹는다고?

구리는 1,083도에서 용해가 돼요. 주석은 232도에서도 용해가 되지요. 반면에 철은 1,535도, 금은 1,064도, 은은 962도에서 녹는답니다. 도자기를 굽는 가마 안의 온도는 그 정도까지 높아지지는 않아요. 하지만 이 가마에서 금속 물품을 제작하려는 아이디어가 태어나기는 했어요.

이래 봬도 제련 마법사

내가 하는 일은 바위덩이를 녹여서 불순물을 제거하고 금속을 추출하는 거예요. 추출한 금속은 돌이나 진흙으로 만든 틀에 붓습니다. 액체가 차게 식으면서 단단하고 반짝이는 물체가 되지요. 우리는 그것으로 반지나 팔찌, 쇠촉 등으로 만들어요. 한마디로, 금속의 발견은 우리 부족의 역사를 바꿔 놓았답니다. 나는 처음에 보석과 반지, 왕관을 만들었어요. 그러다가 아름다우면서도 치명적인 장검과 단검 같은 무기를 제작했지요.

푸후후

됐다!
지지직!
구리는 대규모로 용해한
최초의 금속이에요.
이 때문에 인류의 역사에서
구리나 동을 맨 처음 사용한 시기를
'동기 시대'라고 부른답니다.

하나보다는 둘, 청동

구리가 녹을 때 또 다른 금속, 즉 주석이 있으면(주석은 구리를 분리해 내는 광물에 주로 들어 있어요.) 금속을 추출하기가 한결 쉬워진다는 것을 발견하게 되어요. 두 금속이 섞

우리는 4천 살도 더 됐어!
그래도 여전히 놀랄 만큼 아름답지!

금속을 결합시키면서 연금술이 탄생했어요.

여 청동이라는 합금을 만들어 내는 거예요. 합금은 두 가지 금속을 따로따로 사용했을 때보다 훨씬 더 뛰어난 특징을 갖게 되지요. 이렇게 해서 동기 시대가 끝나고 청동기 시대가 시작된답니다.

이 바닥에선 내가 최고, 철

청동을 생산한 부족은 근방에 사는 부족들을 차례로 정복합니다. 청동 덕분에 천하무적이 되었거든요. 그러다가 누군가 아주 단순한 방법으로 금속을 녹여서 더 강력한 금속, 즉 철을 만드는 방법을 발견하게 되었어요. 철은 곳곳에 널려 있었지만 순수한 형태로 있는 경우는 드물었지요.

철이 섞인 광석을 녹여서 얻어낸 철은 아주 부드러웠어요. 단단하지 않고 물렁물렁했지요. 뜨겁게 달구어진 상태에서 계속 두드리면 산화물이 떨어져 나갈 뿐만 아니라 타고 있는 장작에서 나오는 탄소와 결합

철과 청동이 대결하면 무조건 1대 0이야!
탁!
얍, 받아라. 이건…… 구식이군!
아악!

을 해요. 그러면 백색의 덩어리가 된 뒤 아주 단단한 강철로 바뀌지요.

철과 탄소의 합금을 만들어 내는 화학적 반응은 19세기에 이르러서야 발견되어요. 그 후 여러 가지 산업에 이용되지요. 이렇게 번득이는 아이디어는 고대 문명사를 바꿔 놓는 역할을 한답니다.

15 달리지 않는 바퀴

반짝!

바퀴가 처음 탄생했을 때는 길을 달리지 않았어요. 길 자체가 아예 없었으니까요. 바퀴는 어느 옹기장이가 생각해 냈어요. 오늘날에도 전 세계의 옹기장이들이 활발하게 사용하고 있지요.

옹기장이는 진흙을 둥근 돌림판에 올려놓고 손이나 발로 돌려요. 그의 손길 아래에서 진흙이 빙글빙글 돌아가면서 마치 마술처럼 모양이 만들어지고 원하는 두께가 되지요.

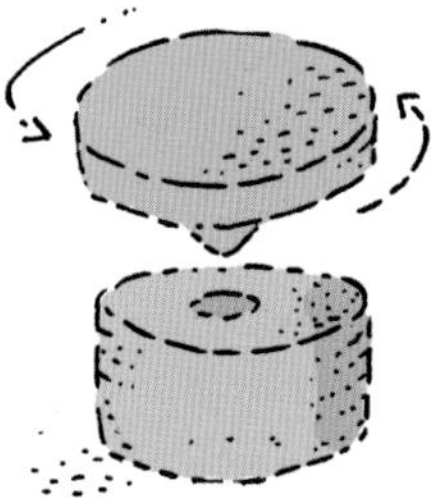

최초의 바퀴는 구운 진흙이나 돌, 나무로 만들어졌어요. 바퀴에는 중심축이 있었는데, 이 축을 축받이의 구멍에 끼우면 구멍을 따라 서서히 돌아갔답니다.

역사는 땅에서
굴러가는 바퀴와 함께
더욱 빨리 달려갑니다.

바퀴에서 바퀴가 탄생하다?

나는 짐을 운반할 때 수레를 직접 끌거나 동물이 끄는 썰매를 이용했어요. 썰매는 풀밭에서는 잘 움직였지만 도시의 단단한 땅 위에서는 잘 끌리지 않았지요. 그래서 썰매에 옹기장이가 사용하는 바퀴 두 개를 달아 보았답니다. 그 후에 또 두 개를 더 달았어요. 아주 조잡한 바퀴였지만요. 반원 모양의 나무판 두 개가 쇰새로 연결되어 있었거든요. 신전의 사제들이 바퀴를 아주 좋아했어요. 사제들은 종교 행렬에서도 바퀴를 사용했답니다.

마침내!

전쟁에도 바퀴를!

그러다가 누군가 전쟁에서 바퀴를 사용할 생각을 했어요. 마차가 더 가볍고 빠르게 달릴 수 있도록 바퀴에 살을 만들어 붙였지요. 맨 앞에서 달리는 전차의 바퀴에는 대못을 박아 더 튼튼하게 제작했답니다. 나중에는 금속 테까지 둘렀지요.

고대 이집트의 힉소스족 같은 몇몇 민족은 이집트 땅을 달리는 강력한 전차 덕분에 오래도록 승승장구했어요.

신났군, 신났어!
바큇살

세상에서 가장 위험한 바퀴

사진 속의 육중한 바퀴는 지표면에서 20미터 이상 내려간 곳의 바위 속에 자리한 지하 도시에 있답니다. 바퀴는 위험을 무릅쓰고 지하까지 쳐들어온 불운한 침입자들의 입구를 순식간에 꽉 막아 버렸지요.

16 바퀴를 돌리는 바퀴, 톱니바퀴

세상에는 우리가 상상하는 것보다
훨씬 더 많은 바퀴가 돌아가고 있어요.

바퀴에서 더 나아가, 톱니바퀴가 탄생했어요. 톱니바퀴는 바퀴에 일정한 간격으로 톱니를 내어 다른 바퀴의 톱니를 움직이는 특별한 형태의 바퀴랍니다. 움직이는 방향을 반대로 바꾸거나 이동할 수 있으며, 빠르게 움직이거나 느리게 움직일 수도 있어요. 그리고 물레방아에서처럼 바퀴를 이용해 물을 들어 올리기도 하지요. 옹기장이의 소박한 바퀴가 바야흐로 기계 세계의 문을 활짝 열게 되었답니다.

아이디어가 아이디어를 키운다

제일 처음 글을 쓴 사람은 누구였을까요?
아마도 수메르의 도시 국가 우르에서 고객이 주문한
항아리에 대해 기록해야 했던 장인이었을 거예요.

17 글을 쓰다, 문자

나는 주로 부드러운 진흙을 이용했어요. 항아리와 벽돌을 만들 때 사용하던 바로 그 흙이지요. 진흙을 판판하게 펴서 서판을 만들고, 거기에 나무 펜으로 내가 기억하고 싶었던 것을 그렸답니다. 고객의 이름, 고객이 원하는 항아리 모양, 고객이 내게 몇 마리의 양 혹은 몇 바구니의 밀을 지불해야 하는지, 또 내가 왕과 신전의 사제에게 공물로 얼마나 바쳐야 하는지 등이었어요.

햇볕에 말린 진흙 서판에 적힌 내용은 나뿐만 아니라 그것을 읽을 줄 아는 사람은 누구나 오래오래 기억하게 될 거예요. 그 서판이 사라지지 않는 한은 말이지요.

매일 그림만 그리는군!
맞아!
반짝!

이 아이디어는 놀라운 성공을 거두었어요. 이제는 사제나 상인, 군인, 건축가를 가리지 않고 모두가 진흙 서판에 기록을 한답니다. 티그리스강과 유프라테스강 사이에 있는 이 지역 주위에는 진흙이 아주 풍부해요. 게다가 진흙을 바싹 말릴 만큼 햇볕도 충분했지요.

청구서!
법령!
물품 명세서!
세금!

그러니까 이런 표시가
진화를 거듭해서……
글자가 되었지!

쐐기 문자

그림을 그리는 건 번거로운 일입니다. 시간이 너무 많이 걸리고 넓은 공간이 필요하니까요. 그래서 우리는 복잡한 그림을 대신할 아주 작은 기호들을 발명했어요. 일종의 작은 쐐기 모양으로 이름과 단어와 행동을 담아냈지요. 그 덕분에 모든 것을 기억할 수 있게 되었답니다. 심지어 우리가 나눈 사랑의 맹세가 공간과 시간을 여행한 뒤 수천 년을 지나 여러분에게까지 도착할 거예요.

상형 문자

우리 이웃인 이집트인들은 그들의 글자인 상형 문자를 고안해 냈어요. 모든 그림이 하나의 말이나 행동과 일치하는 문자랍니다. 희한한 생물, 특이한 곤충, 호기심을 불러일으키는 물건들로 이루어진 문자이지요. 이 상형 문자는 수천 년간 사용돼요. 그러다 시간이 좀 더 흐른 뒤 매우 놀라운 발전을 하게 될, 이것보다 훨씬 더 실용적인 문자가 나타나게 된답니다.

멋진 표시들이야!
하지만 사물을 단순하게
표현하지는 못해!

페니키아인들은 알파벳 문자를 발명하는
크나큰 영광을 차지한다.
—대(大)플리니우스, 《박물지》, 1세기

18 문자의 혁신, 알파벳

이집트의 상형 문자는 시간이 흐르면서 조금씩 변화했어요. 하지만 여전히 상당히 복잡한 모양을 띠고 있었지요. 반면에 페니키아인들은 번득이는 아이디어를 내서 알파벳을 만들었답니다. 간단하지만 효과적으로 글을 쓸 수 있는 문자라 할 수 있어요. 대

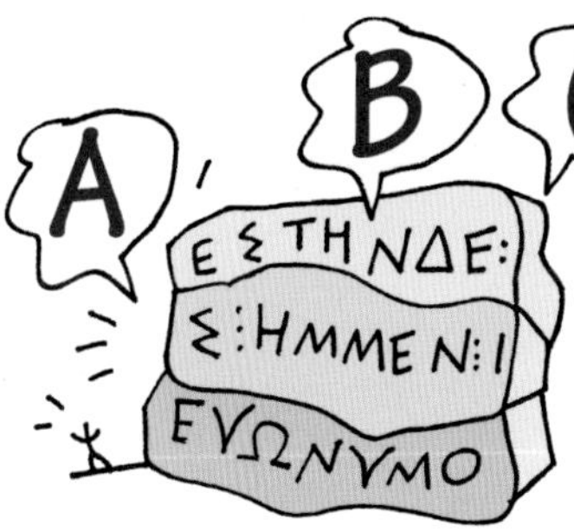

A
B
C
ΕΣΤΗΝΔΕ:
Σ:ΗΜΜΕΝ:Ι
ΕΥΩΝΥΜΟ

략 20개의 부호를 이용하는 체계인데, 이 기호들이 제각기 기본적인 음을 나타내요. 몇 개의 부호(a, b, c, d……)로 어떤 단어라도, 그리고 어떤 언어라도 쉽게 글로 옮길 수 있지요! 그 덕분에 지금 여러분도 알파벳을 사용하고 있잖아요.

19 너 없이는 못 살아, 숫자

숫자는 발명했다기보다 '발견했다'고 하는 게 더 맞아요. 숫자는 모든 사물에 들어 있거든요. 숫자 없이 단 하루만 살아 볼래요?

올해 몇 년이지? 몇 시지? 손가락은 몇 개지? 날짜와 시간, 무게, 거리, 돈에 가치를 부여하는 액수를 모르고는 단 하루도 살 수가 없어요.

사실 숫자는 삶을 간편하게 만들기 위해 탄생했어요. 삶을 복잡하게 만드는 것들과는 전혀 다르답니다.

순록 IIIIIIIIII마리를 잡았어.
와!

4만 년 전 동굴 벽에 손자국을 남긴 사람들은 벌써 숫자를 셀 줄 알았어요. 동물과 사람들의 숫자를 세고 뼛조각으로 그것을 새겨 놓아서 우리 시대까지 전해졌지요. 실제로 숫자는 사물에 질서를 부여하고 크기와 양을 표현하기 위한 실용적인 방법이

에요.

번득이는 천재적인 아이디어는 각 숫자에 '일', '이', '삼', '사'처럼 이름을 붙인 것이랍니다. 그리고 몇천 년 뒤에 누군가 숫자들, 그러니까 오늘날 우리가 아는 1, 2, 3, 4, 5, 6, 7 등등을 상징적인 그림으로 표현하는 아이디어를 냈어요. 이 숫자들을 '아라비아 숫자'라고 부르지만, 사실은 2천 년도 더 전에 인도에서 발명되었지요.

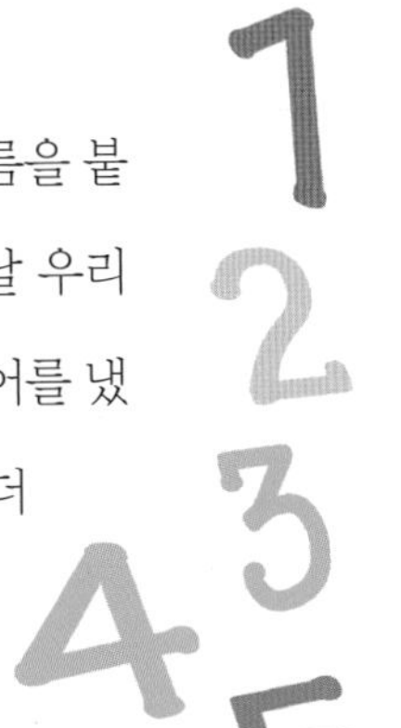
1
2
3
4
5

이걸 '아홉'이라고 불렀어요!
2천 년 전부터 날 이렇게 썼지!
9 8 7 6

20 모든 컴퓨터의 조상, 주판

내 손자들은 아주 똑똑해!

소수로 계산하기가 어려워서 누군가 작은 공을 이용하기 시작합니다. 말하자면 주판이 발명이 된 거예요. 현대의 주판은 최초로 만들어진 모양에서 약간 변형된 거예요. 최초의 주판은 점토 주판이었어요. 고대 수메르 인들이 주판을 처음 만들었는데, 그때는 10을 기초로 하는(다시 말해 우리처럼 십진법을 사용하는) 게 아니라 60을 기준으로 하는 수 체계를 이용했어요! 수를 계산하는 수메르 인들의 방법이 좀 이상해 보이기도 하지만, 사실 그 방법이 지금 우리에게까지 전해지고 있지요. 시간을 계산할 때 60을 기준으로 하고 있잖아요!

난 수메르인들처럼 숫자를 세지!
째깍

21 모든 것의 근원은 수, 피타고라스

피타고라스는 고대의 위대한 현인입니다. 현재 터키 해안 앞에 자리한 사모스섬에서 약 2,600여 년 전에 태어났어요. 우리가 다 아는 피타고라스의 정리는 그의 이름을 딴 거예요. 하지만 피타고라스는 그 밖에도 아주 많은 일을 했지요.

'수학'이라는 말을 만들었는데, 그에게 수학은 '배우려는 경향'을 의미했어요. 피타고라스는 새로운 것을 기꺼이 배우려는 사람을 수학자라고 생각했지요. 뿐만 아니라 그의 '수학적' 제자들에게 놀라운 개념을 선물해요. "모든 것의 근원은 수"라고 말하거든요.

오늘날에 이르러 더욱더 진실로 받아들여지고 있는 격언이지요. 음악을 비롯해 건축, DNA, 우리 휴대폰에 내려받은 최신 앱, 우리의 나이에서부터 거대한 우주에 이르기까지, 모든 사물의 성질 속에 수가 들어 있다는 뜻이니까요.

세상 모든 것의
근원은 수!

22 과학을 발명하다, 탈레스

신이 노했다고?

인류는 수천 년 동안 자연 현상을 신의 선물이나 저주로 여겼어요. 고대 그리스에서

제우스 신이 노하셨다는 신호다!
우르르 쾅쾅
우르르 쾅쾅!
아니오!

비가 오거나 천둥이 치는 것은 제우스 신의 뜻이라고 생각했지요. 풍성한 수확은 데메테르 여신의 덕이라 믿었고요. 심지어 이집트에서는 강이 범람하고 주변의 밭들이 비옥해지는 게 나일강의 신 때문이라고 여겼답니다.

오늘날에는 천문학자, 물리학자, 생물학자가 그런 자연 현상을 연구하지만 고대에는 마법사와 주술사, 사제들이 하늘과 물과 땅의 초자연적인 현상들에 관심을 집중했어요. 그런 사람들은 자신을 신과 인간을 중재하는 사람이라고 생각했답니다. 그래서 신들을 위해 신전을 세우고 제물을 바치고 기도를 했지요. 하지만 탈레스같이 지혜로운 사람들은 신을 중요시하지 않았고, 우리 세계를 움직이는 작용 원리를 이성적으로 설명해 보려 애썼어요.

나도 알아요, 내가 전설적인 인물이라는 걸. 나는 고대 그리스의 일곱 현인 중 한 사람이지요. 우리의 사상이 여러분에게까지 전해지고 있어요. 그것들은 아주 짧지만 번득이는 천재적인 아이디어들이랍니다.

나는 지금의 터키 해안에 자리한 그리스 도시 밀레토스에서 기원전 640년에 태어나서 547년에 죽었습니다. 나의 가장 위대한 사상이 뭐냐고요? 아! 나, 탈레스는 과학을 발명했습니다.

음, 전기가
방전되는 거라네!
뾰족한 장소에
가까이 있지
않는 게 좋아.
아아아악!
우르르 쾅쾅
아!

과학이 어디에 필요하냐고요?
음, 미래를 예측하는 데
반드시 필요하지요.

일식을 과학적으로 맨 처음 예언하다

탈레스는 고대에 일식을 예언했던 일화로 유명해요. 전쟁이 한창이던 때였는데, 그의 예언으로 적군은 혼비백산했지요. 더욱이 올림포스 신들의 도움으로 그런 예언을 한 게 아니에요. 여러 해 전부터 해와 달의 움직임을 관찰해 온 사람들과 함께 계산을 해서 예측한 것이라고 주장해 사람들을 깜짝 놀라게 만들었답니다.

탈레스는 여러 가지 놀라운 일을 했는데, 특히 고대 이집트를 방문했을 때 도구를 전혀 사용하지 않고 직접 측량도 하지 않은 채 쿠푸(이집트 제4왕조의 파라오)의 피라미드 높이를 정확히 계산하기도 했지요.

정오에 밤이 될 거요.
과학은 어떤 자연 현상이 일어나게 된
원인과 결과를 탐구하고 발견하는
모든 활동이에요.

과학이 돈을 벌게 해 준다고?

사람들은 탈레스에게 그의 지식이 살아가는 데 아무 데도 쓸모가 없다고 비난하곤 했습니다. 탈레스는 무지무지 추운 한겨울에 반대 의견을 증명해 보였어요. 겨울에 자연을 관찰하면서 다음 해에 올리브를 많이 수확하게 될 거라고 예측한 거예요.

그는 미리 자신이 사는 지역의 올리브 압착기를 모두 구입했어요. 그러다가 수확철이 되자 올리브 기름을 만들기 위해 압착기가 필요한 사람들에게 기계를 빌려 주었지요. 기계를 빌리려 몰려든 사람들에게 자신이 정한 가격을 불러서 꽤 많은 돈을 벌었답

아, 내 그림자와
피라미드 그림자 사이의
비율을 계산하기만 하면 돼!

니다.

탈레스는 지식을 사랑하는 사람에게 돈은 중요하지 않지만, 과학은 돈을 버는 데도 도움이 된다는 걸 일깨워 주었어요.

23 최초로 세계 지도를 그리다, 아낙시만드로스

탈레스에게는 똑똑한 제자들이 많았습니다. 아낙시만드로스는 탈레스와 아주 가까이 지냈는데, 최초로 세계 지도를 그려서 유명해졌어요. 아낙시만드로스는 지구가 평평하고 물에 둘러싸여 있다고 생각했지요. 그렇기는 해도 구글 지도가 나오기 2,600년 전에 처음으로 '세계', 즉 남쪽과 북쪽, 동쪽과 서쪽에 대한 아이디어를 담아서 지도를 그린 것은 몹시 놀라운 일이 아닐 수 없어요.

에, 내가 보기에는
이렇습니다!
대 양
유 럽
대 양
아시아
아프리카
대 양

고대 사회를 빛낸 철학자들

피타고라스에게 탈레스는 '철학자'였습니다.
'철학자'란 단어는 피타고라스가 생각해 낸 말로
'지식을 사랑하는 사람'이라는 뜻이에요.
피타고라스와 탈레스 이후 많은 현인들이 스스로를 '철학자'로 정의했지요.

난 철학자야!

경이의 감정으로부터 철학자가 되고자 하는 열망이 탄생합니다.

24 지식을 사랑하는 사람, 아리스토텔레스

기원전 6세기와 3세기 사이에 고대 그리스에서는 '지식을 사랑하는 사람'들이 여럿 태어났어요. 그들은 우주가 어떻게 움직이는지를 이해하려 애썼지요. 독특하면서도 환상적인 아이디어를 많이 가지고 있었답니다.

동료들의 수많은 번득이는 아이디어를 정리한 사람은 바로 아리스토텔레스였어요. 의사의 아들로 태어난 아리스토텔레스는 아테네 학원을 세웠으며, 알렉산더 대왕의 개인 교사를 지냈지요. 아리스토텔레스는 모든 문제에 관심을 보였답니다.

하늘이 지구 주위를 어떻게 도는지, 동물의 '내부'는 어떻게 생겼는지, 아기는 어떻게 태어나는지, 사회는 어떤 기능을 하는지 등등. 위대한 아이디어 중의 하나는 지구가 둥글다는 것이었어요.

그림자가 휘었잖아요. 그러니까 지구는 둥근 겁니다!
간단하지요!

월식을 증명하다

그때만 해도 아리스토텔레스의 많은 동료들은 지구가 우주에 떠 있는 포카치아처럼 평평하다고 생각했어요. 아리스토텔레스는 지구가 둥글다고 주장했는데, 그것을 추론하는 방법은 신기하게도 오늘날까지 잘 맞아떨어져요. 월식 때, 그러니까 지구가 태양과 달 사이에 있을 때 지구의 둥근 그림자가 달을 가린다는 데서 그런 주장이 나왔으니까요.

아리스토텔레스의 큰 실수

아리스토텔레스가 대단한 현인이기는 했지만 태양의 움직임에 관해서는 큰 실수를 했어요. 아리스토텔레스는 태양이 에게해의 섬만 한 뜨거운 불덩이라고 생각했거든요. 지구는 우주의 한가운데에 우뚝 멈춰 서 있고, 태양이 궤도를 그리며 지구 주위를 돈다고 생각한 거예요. 거의 2천 년 동안 그 누구도 아리스토텔레스의 주장을 반박하지 못했답니다. 그러다가 갈릴레오가 번득이는 아이디어로 맨 처음 반박을 하게 되지요.

25 물질을 구성하는 요소

철학자인 내 동료들에게 가장 어려운 질문은 물질의 성질에 관한 것이었어요. 우리가 보고 만지고 냄새를 맡는 물건들은 무엇으로 이루어져 있을까요? 우리의 오감과 뇌 말고는 그것을 탐구할 만한 도구가 없었지만, 그래도 흥미롭고 천재적인 아이디어들을 여럿 주장했어요. 또, 다른 철학자들이 그것을 바탕으로 다른 이론을 만들어 냈지요.

예를 들어, 탈레스는 지구와 그곳에 사는 모든 생물을 포함한 만물이 물에서 탄생했다고 주장했습니다. 탈레스와 같은 밀레토스 출신인 아낙시만드로스는 모든 게 공기에서 비롯된다고 생각했지요. 공기가 우주의 어떤 곳에서 응축이 되어 물이나 흙으로 변한다고 주장했어요. 에페소스의 헤라클레이토스는 불이 만물의 근원이라고 생각했고요. 아그리젠토의 엠페도클레스에게 물질은 앞서 언급한 네 원소, 즉 물, 흙, 공기와 불이 혼합된 것이었지요.

아리스토텔레스의 4원소설

나는 내 동료들의 아이디어를 받아들였습니다. 그리고 거기에 지식을 약간 덧붙인 다음 4원소설로 발표했어요. 이것은 거의 2천 년 동안 정설로 받아들여지게 되지요. 현재 여러분이 이해하는 원소와는 전혀 다르지만 '흙, 물, 공기, 불'에 주목을 해 보면 '고체, 액체, 기체, 플라스마', 그러니까 오늘날 현대 물리학에서 이해하듯이 물질을 구성하는 네 가지 상태와 어느 정도 일치시킬 수 있어요.

오늘날에는 우주(태양, 별, 성운)의 99퍼센트가 플라스마 상태라는 사실을 모두 다 알고 있어요.

26 물질을 작게 쪼개다, 데모크리토스

같은 시기에 아브데라의 데모크리토스가 놀랄 만큼 번득이는 아이디어를 냈습니다. 물질을 눈에 보이지 않을 정도로 작게 쪼갤 수 있다고 생각했거든요. 고대 그리스어로 '눈에 보이지 않는'은 '원자'라고 해요. 그러니까 데모크리토스는 물질이 눈에 보이지 않을 만큼 작은 원자들로 구성되어 있다고 생각한 거지요.

사실 현대에 사는 우리는 원자도 더 작은 입자로 나눌 수 있다는 걸 알아요. 그렇다고 데모크리토스의 생각이 잘못되었다고 할 수는 없어요. 그 당시로서는 획기적인 생각이었으니까요. 비록 그 아이디어가 바다를 보며 포도주 잔을 기울이다가 탄생하기는 했지만요.

데모크리토스, 어디 가나?
제네바에 있는 유럽 입자 물리 연구소로 단기 재교육 받으러 가네.

27 지구의 둘레를 측정하다, 에라토스테네스

나는 지구가 당연히 둥글다고 생각한다.
—에라토스테네스

에라토스테네스는 기원전 220년경에 알렉산드리아 도서관 관장이었어요. 알렉산더 대왕의 장군이었던 프톨레마이오스 1세가 세운 알렉산드리아 도서관은 정말이지 굉장했답니다. 그 당시 전 세계의 과학자와 철학자들이 그곳에 모여 연구를 하고 제자들을 가르쳤지요.

에라토스테네스는 아주 특별한 도서관장이었어요. 지구의 가장 긴 길이, 정확히 말하면 지구의 둘레를 측정하기로 결심했답니다. 그 전까지 아무도 생각하지 않은 일이었지요.

오벨리스크의 그림자 길이를 재다

하짓날 시에네(현재의 아스완, 북회귀선 상에 있는 도시)에서 정오가 되면 그림자가 하나도 없다는 이야기를 들었습니다. 심지어 태양빛이 우물 바닥까지 닿을 수 있다고 하더군요! 6월 21일, 시에네에서 그런 일이 일어날 때 이집트의 알렉산드리아에서는 약간의 그림자가 생겼지요. 태양빛은 지표면에 평행으로 도달하는데, 시에네에서는 정오에 수직으로 비치는 거예요.

반면, 북쪽의 도시에는 약간 비스듬하게 그림자가 내려오더군요.

나는 6월 21일 정오에 알렉산드리아에서 오벨리스크 그림자 길이를 측정했어요. 그랬더니 태양빛에 의해 7˚ 12' 각도가 생기더라고요. 그 뒤 내 조수에게 시에네까지 가서 알렉산드리아와 시

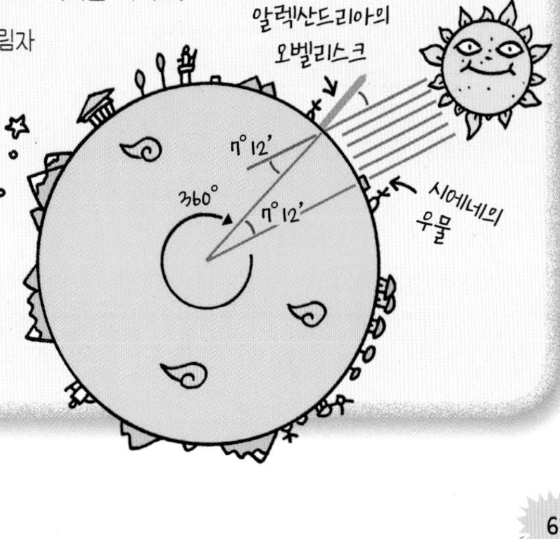

에네 사이의 거리를 측정하라는 임무를 맡겼지요. 그렇게 해서 지구의 둘레를 계산하는 데 필요한 자료를 얻게 되었어요. 70° 12'는 3,600, 즉, 한 바퀴의 50분의 1과 비슷합니다. 내 조수가 알렉산드리아와 시에네까지 간 거리를 50배 하면 지구의 둘레가 되는 거예요. 나는 거기서 지구의 지름을 추론한 겁니다. (에라토스테네스가 추론한 지구의 둘레는 실제 둘레 40,009,152킬로미터와 크게 차이 나지 않아요).

28 지구와 달의 거리를 재다, 히파르코스

니케아의 히파르코스는 에라토스테네스의 동료였어요. 히파르코스는 움직이지 않는 두 개의 별을 관찰했고, 같은 시각에 그 두 별과 비교했을 때의 달의 위치를 확인했어요. 다른 도시에 사는 에라토스테네스와 거의 동시에 그런 관찰을 했던 거예요. 그리고 에라토스테네스처럼 기하학을 사용해서 지구와 달의 거리를 계산했지요.

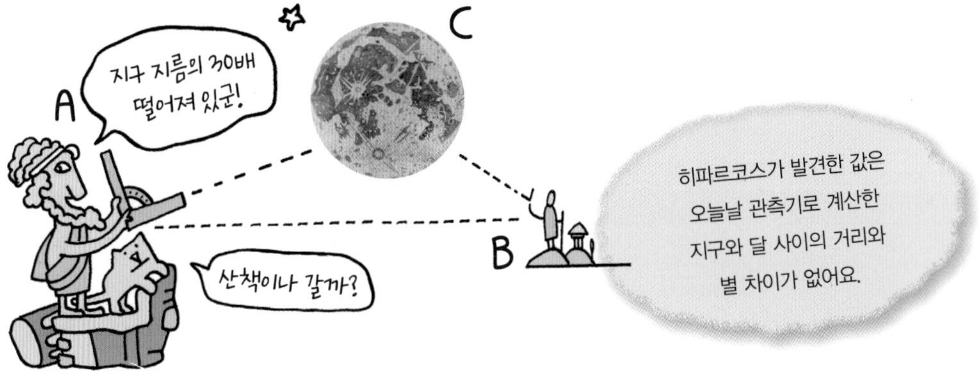
C
A
지구 지름의 30배
떨어져 있군!
산책이나 갈까?
B
히파르코스가 발견한 값은
오늘날 관측기로 계산한
지구와 달 사이의 거리와
별 차이가 없어요.

시차를 발견하다

히파르코스는 어떤 한 지점에서 특정한 물체를 관찰하다가 위치를 바꾸면, 그 물체를 주위의 다른 물체와 비교했을 때 위치에 따라 차이가 생긴다는 것을 알아차렸어요.

(이런 현상을 확인해 보려면 한쪽 눈을 감았다가 가까이 있는 물체를 바라본 뒤 반대로 다른 쪽 눈을 감아 보면 돼요). 물체가 이동된 위치와 두 관찰 지점 사이의 각도를 측정하면 물체와의 거리를 추정할 수 있지요.

이렇게 히파르코스는 '시차'를 발견했어요. 그런데 히파르코스의 천재적인 아이디어는 여기서 끝이 아니랍니다. 그는 어떤 삼각형이라도 계산할 수 있는 삼각함수표를 발명했거든요. 그리고 거의 천여 개에 이르는 별들을 분류했고, 천체의 위치를 예측하는 기구인 아스트롤라베를 만들었지요.

기하학의 아버지, 유클리드

히파르코스와 에라토스테네스는 기하학의 특성을 이용해서 번득이는 아이디어들을 냈어요. 기하학은 실제로 천여 년도 더 전부터 실생활에 적용된 학문이랍니다. 기하학은 바빌로니아의 운하를 설계하고 피라미드를 건축하는 데도 사용되었지요.

기하학 이론을 한 권의 책에 모두 수록해야겠다고 생각한 사람은 유클리드였어요. 유클리드도 알렉산드리아 도서관에서 연구를 하면서 제자들을 가르쳤답니다. 그의 저서 제목은 《기하학 원론》이에요.

이 책은 아이작 뉴턴의 말처럼 역사에 길이 남는 중요한 책 가운데 한 권이지요. 실제로 수백 년 동안 성경 다음으로 사람들이 가장 많이 본 책 중의 한 권으로 꼽히고 있어요. 심지어 우주선이 우주 공간에 그린 궤도도 《기하학 원론》에 수록된 정리를 따르고 있답니다.

29 금을 좇다, 연금술

이집트에서는 시신을 보존하기 위해서 소금과 향유로 몸을 씻겼어요. 연금술은 바로 여기서 탄생했지요. 납이나 구리 같은 비금속을 은이나 금 등으로 변환시키려고 시도했던 유사 과학이랍니다. 많은 사람들이 연금술을 통해 금을 만들어 내려고 노력했지만 그 누구도 성공하지 못했어요. 대신에 연금술의 실험과 그 과정에서 발견된 새로운 물질들이 훗날 근대 화학의 발달에 크게 기여했지요.

금과 비슷한 놋쇠

구리와 아연의 합금인 놋쇠 역시 이집트에서 탄생했어요. 놋쇠는 색깔과 모양이 금과 거의 똑같았지요. '현자의 돌'의 도움을 받으면 납을 금으로 바꿀 수 있다는 전설이 이 놋쇠에서 비롯되었답니다.

비록 실현이 불가능한 생각이긴 하지만 현대 화학의 여러 발견에 길을 열어 준 아이디어예요. 이집트에서 '공기'와 '수증기'의 특징을 연구하게 되고, 심지어 중력을 거슬러 땅에서 위로 올라갈 수 있는 작은 모형까지 제작하게 하거든요.

헤론, 시대를 앞서가다

철학자이자 기계학자였던 헤론은 최초의 자동 장치들을 작동시켰고, '아이올리스의 공(eolipile)'이라는 수증기 장치를 발명했지요. 바람의 신 아이올로스의 이름을 땄어요. 아이올리스는 작은 터빈, 말하자면 소형 증기 기관이었는데, 그때만 해도 그것이

말이 하는 일을 할 수 있어!
그게 무슨 기괴한 생각이에요?
증기로!
칙칙!
칙칙!

쓸모 있으리라고 생각한 사람은 아무도 없었답니다.

헤론의 아이디어는 거의 2천 년을 앞선 것이었어요. 카이사르와 로마군은 아직 기차로 여행을 하지 못했고, 산업 혁명까지는 좀 더 기다려야 했으니까요. 세상은 여전히 여러 세기 동안 수백만 명의 노예들이 제공하는 노동력으로 움직이고 있었지요.

30 유레카, 아르키메데스

유레카!

나는 목욕탕에 있다가 "유레카! 유레카!", 다시 말해 "찾았다! 찾았다!"라고 외친 것으로 유명합니다. 순금을 사용하지 않고 금과 은을 섞어 왕관을 만든 사기꾼 금 세공사의 속임수를 밝힐 방법을 찾아낸 거지요. 왕관의 무게는 히에로 왕이 금 세공사에게 준 순금과 같았지만 부피가 훨씬 더 컸어요. 은이 섞인 가짜 금관은 같은 무게의 순금으로 만든 금관보다 부피가 더 클 것이란 생각이 들었답니다. 그래서 금 세공사가 만든 왕관을 욕조에 넣었더니, 같은 무게의 순금 왕관을 넣었을 때보다 물이 더 많이 흘러넘치지 뭐예요?

나를 유명하게 만든 문장이 또 있는데, 바로 "내게 지렛대를 주면 지구를 들어 올리겠소."란 말이에요. 여러분이 과대망상증적인 발언이라고 말할지도 모르겠군요. 하지만 나는 매우 적절한 순간에 그 말을 했어요. 지렛대 원리를 이용해서 움직이는 도르래 시스템으로 고대 역사에서 가장 큰 배인 시라쿠시아를 움직일 때였거든요. "물속에 들어 있는 물체는 물의 압력을 받아 위로 향하는데, 그때 이동한 물의 무게는 물체의 무게와 같다."는 원리도 내가 발견한 거지요. 배를 바다에 띄우고, 기구를 공중으로 날아가게 하는 물리 법칙이랍니다.

내게 지렛대를 주면…….

아르키메데스는 수학, 물리학, 천문학, 기계학 등 광범위한 분야에 위대한 업적을 남긴 천재예요. 다양한 문제의 해결책을 찾아냈거든요. 나선을 이용해 물을 끌어올리는 양수기를 비롯해, 자신의 도시를 방어하기 위해 어마어마한 기계들을 제작했지요. 양수기와 투석기, 지렛대, 반사경…….

아르키메데스는 로마군이 침입하자 거대한 반사경으로 태양광선을 반사해 로마 군함을 불태웠다고 해요. 또, 무거운 돌을 날릴 수 있는 투석기를 만들어 로마군을 공격했지요. 하지만 로마군이 워낙 강력했던 탓에 그의 조국 시라쿠사는 아쉽게도 함락되고 말았답니다.

로마군이 쳐들어왔을 때, 그는 모래 위에 원을 그리며 연구를 하고 있었다고 해요. 로마 병사가 그에게 다가가자, "내 원을 밟지 마라!" 하고 대뜸 소리쳤다지요? 이에 화가 난 로마 병사는 그를 단칼에 죽여 버렸고요.

이 소식을 뒤늦게 들은 로마군의 대장 마르켈루스는 아르키메데스의 죽음을 슬퍼하며, 그의 소원대로 묘비에 원뿔과 구, 원기둥이 꼭 맞게 들어 있는 그림을 새겨 주었다고 해요.

전부 기하학을 이용한 거야!
아!
피융
아아악
쾅!
피융

아이디어가 국경을 넘고 넘어

아이디어와 발명에는 국경이 없습니다.
곧 사방으로 퍼지게 되지요.
아이디어와 발명이 좋은 환경과 만나면
예상치 못한 놀라운 결과들이 나온답니다.

엄청난 결과를 가져오는
아이디어들을 살펴보면
하나같이 단순한 데서 시작한다.

세상을 발전시키는 아이디어가 있는가 하면, 전쟁과 미신, 광신같이 세상을 후퇴시키는 아이디어도 있어요. 로마 제국이 멸망하고 난 뒤, 지중해 지역과 유럽 여러 나라에는 천 년 넘게 어두운 그림자가 드리워졌지요. 하지만 세상은 아주 넓어요. 같은 시대에 새로운 문명들이 남미에서 꽃피었고, 크고 작은 새로운 기술이 인도와 중국에 소개되었거든요.

31 방향을 정할 땐 역시 나침반

어렸을 때 아버지에게서
나침반을 선물 받았다.
나는 나침반에 매료되어서 물리와
전기에 흥미를 갖기 시작했다.
—알베르트 아인슈타인

지구의 자기장

1천 년경에 중국에서 자침(磁針)이 가진 특이한 성질을 발견했어요. 자침을 기름에 넣었다가 물이 담긴 그릇으로 옮기면 바늘 끝이 항상 북쪽을 가리킨다는 걸 알아낸 거죠. 나침반은 바다에서 방향을 잡는 데 없어서는 안 되는 물건이에요. 중국 상인과 아랍인, 그리고 유럽 항해자들에게 매우 유용했지요.

하지만 나침반이 항상 방향만 가리킨 건 아니에요. 아주 강력한 자기장, 그러니까 지구에 자기장이 존재한다

는 사실도 알려 주었거든요. 이 나침반이 있어서 수세기 뒤 전기 연구자가 천재적인 아이디어를 떠올리게 되지요. 전류가 흐르는 전선 옆에 나침반을 놓아두자 바늘이 원래 가리켜야 할 방향을 벗어난 거예요. 이 발견은 훗날 전동기와 발전기의 발명으로 이어진답니다.

펑!

32 역사의 흐름을 바꾸다, 화약

10세기경, 중국에서 역사의 흐름을 바꿔 놓을 만한 화합물이 발명되었어요. 그 중요성에 비해 화합 공식은 꽤 간단해요. 질산칼륨과 유황, 석탄(숯)을 혼합하는 거거든요. 적정한 비율로 혼합한 뒤 불을 붙이면 연소하면서 다량의 하얀 가스를 내뿜어요. 이 화합물을 '화약'이라고 부른답니다. 소금을 첨가하면 색깔을 띠어 불꽃놀이에 사용할 수 있어요.

대나무!
펑!

대나무 대포가 나타나다

화약을 발견한 중국 연금술사가 이 마법의 가루를 이용해서 황제를 깜짝 놀라게 하려고 했을지도 몰라요. 그러면 황제에게 깊은 인상을 남기게 될 테니까요. 번득이는 아이디어를 가진 그 연금술사는 이 가루를 이용해 여러 가지 일들을 할 수 있다는 사실을 알아차린 거지요. 화약은 폭발이나 불꽃놀이뿐 아니라 폭탄, 로켓, 그리고 대포에도 사용할 수 있어요.

맞아요. 누군가 최초의 로켓과 날아가는 폭발물을 시험해 보고서 최초의 대포를 만들었답니다. 굵은 대나무 몸통을 이용한 대포였어요. 1400년대에 이 검은 가루는 유럽으로 전해졌고,

불꽃놀이인가?
쾅!
그게 아니야!
펑

전투에 혁명을 가져오게 돼요. 그 바람에 오래된 성들이 속절없이 무너져 내렸고, 갑옷은 무용지물이 되었지요. 바야흐로 역사의 흐름이 바뀌게 된 거예요.

33 사상을 새기다, 종이

종이, 그러니까 중국의 우아한 한자를 쓸 수 있는 값싼—파피루스와 양피지에 비해서—재료에 대한 아이디어가 중국에서 나왔어요. 그보다 인쇄술이 훨씬 더 놀랍다고 할 수 있고요. 사상을 전파할 가능성을 확대시켰으니까요. 손으로 글씨를 쓰는 대신, 한자를 새긴 나무와 도자기 틀을 고안했지요.

그런데 한 가지 문제가 있었어요. 글을 쓰려면 수많은 한자가 필요해서 아주 복잡한 글자 틀을 이용해야 했거든요. 실제로 한 페이지를 인쇄하려면 산더미만큼의 '글자'가 필요했답니다. 그에 비해 글을 쓰는 데 꼭 필요한 활자가 스무 개가 조금 더 넘는 알파벳은 글자 틀을 사용하기가 훨씬 간단했지요. 그래서 구텐베르크가 먼저 인쇄술을 발명하게 된 거예요.

34 마법의 숫자, 0

1천 년경에 인도의 수학자가 자신의 수첩에 새 숫자를 씁니다. 그는 그 숫자 혼자서는 '아무것도' 아니며 값을 갖지도 않지만, 다른 숫자 옆에 있으면 열 배의 값을 갖는 숫자였지요. 오늘날 우리가 '0'이라고 부르는 그 숫자는 곧 인근 국가의 수학자들에게 마법의 숫자, 혹은 호기심을 불러일으키는 숫자로 알려지게 되었답니다.

뭐 대단한 거라도 발명했나?
별거 아닙니다!

처음에 0은 상인들과, 계산을 해야 하는 사람들 사이에서 즐겨 쓰이지 않았어요. 그 사람들은 숫자를 써서 계산할 줄 몰랐기 때문에 0을 어떻게 사용해야 하는지 몰랐거든요. 계산을 하는 사람들은 더하기든 빼기든 주판을 이용했으니까요. 10, 100, 1000을 쓸 때는 로마 숫자처럼 특별한 숫자를 사용했어요. 10은 X, 100은 C 등으로 말이지요.

외로워!
우리하고 같이 1000을 만들자!
1 000

아랍인들이 아홉 개의 숫자와 0으로 어떤 숫자든 쓸 수 있다는 건 매우 놀라운 일이다.
—레오나르도 피보나치

인도에서 발명된 0과 나머지 아홉 숫자는 이제 전 세계에서 사용되고 있어요. 아랍인들에 의해 서양에 알려졌기 때문에 지금은 '아라비아 숫자'라고 부르지요. 하지만 유럽에서는 상당 기간 동안 0이 가진 마법적 특성 때문에 악마의 발명품이라고 생각했답니다.

0이 없으면 큰 숫자를 쉽게 쓰지 못하고 10진법 계산을 할 수 없을 뿐만 아니라 컴퓨터에도 적지 않은 문제가 생겨요. 실제로 컴퓨터는 1과 0, 단 두 숫자만 사용하고 있기 때문이지요.

모두가 쓸 0입니다!

아무것도 없는 데서…….
놀라운 아이디어가 탄생했지요!

35 인쇄술을 발명하다, 구텐베르크

나도 컴퓨터를 사용해 보고 싶답니다!
그렇지만 내가 없었다면 절대로 컴퓨터를 발명하지 못했을 겁니다!

안녕하십니까? 내 이름은 요하네스 구텐베르크입니다. 여러분에게 분명히 말하는데, 젊은 시절에는 지금처럼 이렇게 산타클로스같이 생기지는 않았어요. 여러분이 보는 이 그림은 나와 한 번도 만난 적이 없는 어떤 화가가 1세기 후에 그린 초상화거든요.

나는 독일 라인 강변에 자리 잡은 도시 마인츠에서 1400년경에 태어났어요. 그 무렵에 운 좋게도 유럽에서는 수세기에 걸쳐 있던 암흑의 시대가 끝나 가고 있었지요. 우리 집안은 하급 귀족이었어요. 아버지는 금속과 보석 파는 일을 했답니다. 나도 얼마 동안 그 일을 도왔지요. 그러다가 굉장한 아이디어를 떠올렸답니다.

내가 살던 시대에 책은 보석처럼 귀했고 구하기도 힘들었어요. 모두 손으로 써서 만들었으니까요. 진정한 예술적 가치가 있는 몇몇 작품들은 수도사들이나 필경사들이 끈기를 가지고 필사를 했지요. 성경책 한 권을 필사하는 데 일 년 이상이 걸렸다고 해요! 뭐, 이제 괜찮습니다. 내가 책을 여러 권 만들 수 있는 장치를 발명했으니까요.

> 인쇄술의 발명은
> 역사상 가장 큰 사건이다.
> 가히 혁명의 어머니라고 할 수 있다.
> —빅토르 위고

활자와 인쇄

구텐베르크는 납을 녹여서 작은 '활자' 틀을 굉장히 많이 만들었어요. a, b, c 같은 활자들이었지요. 그러고는 이 활자로 책의 내용을 구성했어요. 그다음에는 활자를 맞춘 판 위에 종이를 올려놓고서 포도주 짜는 기구로 꾹꾹 눌렀답니다. 한 장 한 장 차례로 말이에요. 오늘날의 인쇄 방식과 비교하면 그 과정이 아주 길고 복잡했어요. 한 페이지를 100장 인쇄하는 데 하루 종일 걸렸거든요. 하지만 예전처럼 손으로 옮겨 적는 데 필요한 시간과는 비교조차 할 수

활자 틀을 만들고!
지지직!

없을 만큼 짧은 시간이었어요.

조판하고……
인쇄하는 겁니다!
착!

구텐베르크의 발명품은 급속도로 퍼져 나갔답니다. 수십 년이 채 흐르지 않아서, 인류 역사상 그때까지 쓰이고 필사되었던 책보다 훨씬 더 많은 양이 인쇄되었지요. 이 발명은 새로운 사상들을 그 어느 때보다 빠르게 널리 확산시키는 놀라운 결과를 가져왔어요. 그 어떤 것도, 그 누구도 막을 수 없었답니다.

성공인가요?
여기요, 레오나르도……

36 하늘을 날고 싶어, 레오나르도 다빈치

여러분의 시대에는 나를 르네상스 시대의 가장 위대한 천재라고 생각하겠지요. 고마워요, 기쁘기도 하고. 사실 난 화가이자 과학자, 건축가, 디자이너, 발명가랍니다. 번득이는 아이디어가 무궁무진했지요. 콘택트 렌즈에서 전차, 만년필에서 친환경 도시에 관한 아이디어에 이르기까지 말이에요.

난 1452년에 태어났는데, 그 당시 유럽인들은 아직 아메리카 대륙을 '발견'하지 않았어요. 나와 동시대 사람들 대부분이 여전히 이 세상이 하늘의 중심에 있고, 그 하늘은 멈춰 있다고 생각했지요. 인체를 연구하는 사람은 마법사라고 고발당했고, 금속으로 작업하는 사람을 수상하게 여겼고요. 간단히 말해서 순응적이지 않은 사고를 하는 사람들—나처럼—은 화형을 당하곤 했답니다. 나의 가장 큰 소망은 하늘을 나는 거였어요. 그러니까 사람을 공중으로 날게 하는 거지요. 그래서 새들의 비행을 연구했고, 여러 가지 형태의 날개들을 만들었답니다. 내 조수들이 그걸 달고서는…….

신참내기들이군.
아아악
쾅!
아니야!
쾅

날개는 다빈치가 바라던 대로 성공을 거두지는 못했어요. 거기에 사용한 재료들이 너무너무 무거웠거든요. 하지만 이미 아이디어가 나왔기 때문에 다른 사람들이 반복해서 시도를 했지요! 그 후 다빈치는 다른 아이디어를 내서 '프로펠러'를 발명했어요.

이 역시 그 시대에 이용할 수 있던 동력으로는 땅에서 날아오르기에 너무 무거웠지요. 하지만 나사를 이용하는 원리만큼은 정확했답니다. 나사들이 공중에서 꽉 '조여지면서' 비행기가 앞으로 나가고 헬리콥터를 들어 올리게 되었거든요. 다빈치의 생각은 결국 들어맞았고, 후대 사람들은 모두 하늘을 날게 되었지요. 단지 시간 문제일 뿐이었답니다.

내가 아니라……
다른 사람 덕으로
인간은 하늘을 날게 되지!

앞서 말한 프로펠러가 공중에서 뱅글뱅글 돌며 높이 날게 된다.
—레오나르도 다빈치

37 과연 신대륙이 맞을까, 아메리카

내가 발견했습니다!
허허, 과장하지 맙시다!

수천 년 전부터 아메리카에 사람이 살고 있었지만, 15세기 말까지 유럽과 아시아에서는 아메리카라는 대륙이 있으리라고는 상상도 하지 못했어요. 그러다가 크리스토퍼 콜럼버스가 동양에 가겠다는 놀라운 아이디어를 가지고 서쪽으로 항해를 시작했지요. 1492년 10월, 콜럼버스는 여러 날 동안 항해를 한 뒤에 낯선 섬의 해안에 도착했답니다. 그리고 자신이 도착한 곳이 인도라고 믿으며 스페인으로 돌아갔어요. 자신의 왕에게 원주민 몇 명까지 데려가 선보였고요. 그때부터 그 사람들을 인디언이라고 부르게 되었지요!

그 뒤 콜럼버스의 동료인 아메리고 베스푸치가 콜럼버스의 실수를 찾아낸답니다. 아메리고는 포르투갈 왕 밑에서 일하던 피렌체 출신 항해가였어요. 베스푸치는 북쪽에서 남쪽으로 항해를 했는데, 인도와 비슷한 점을 전혀 발견하지 못했지요. 그래서 그곳이 새로운 대륙일 거라고 생각합니다.

독일의 지도 제작자인 마르틴 발트제뮐러는 세계 지도에 새로운 땅을 그려 넣었습니다. 지도에 베스푸치의 항해에 대한 설명이 첨부되었어요. 그의 지도가 인쇄된 뒤 모두들 새로운 대륙을 '아메리카'라고 부르게 되지요.

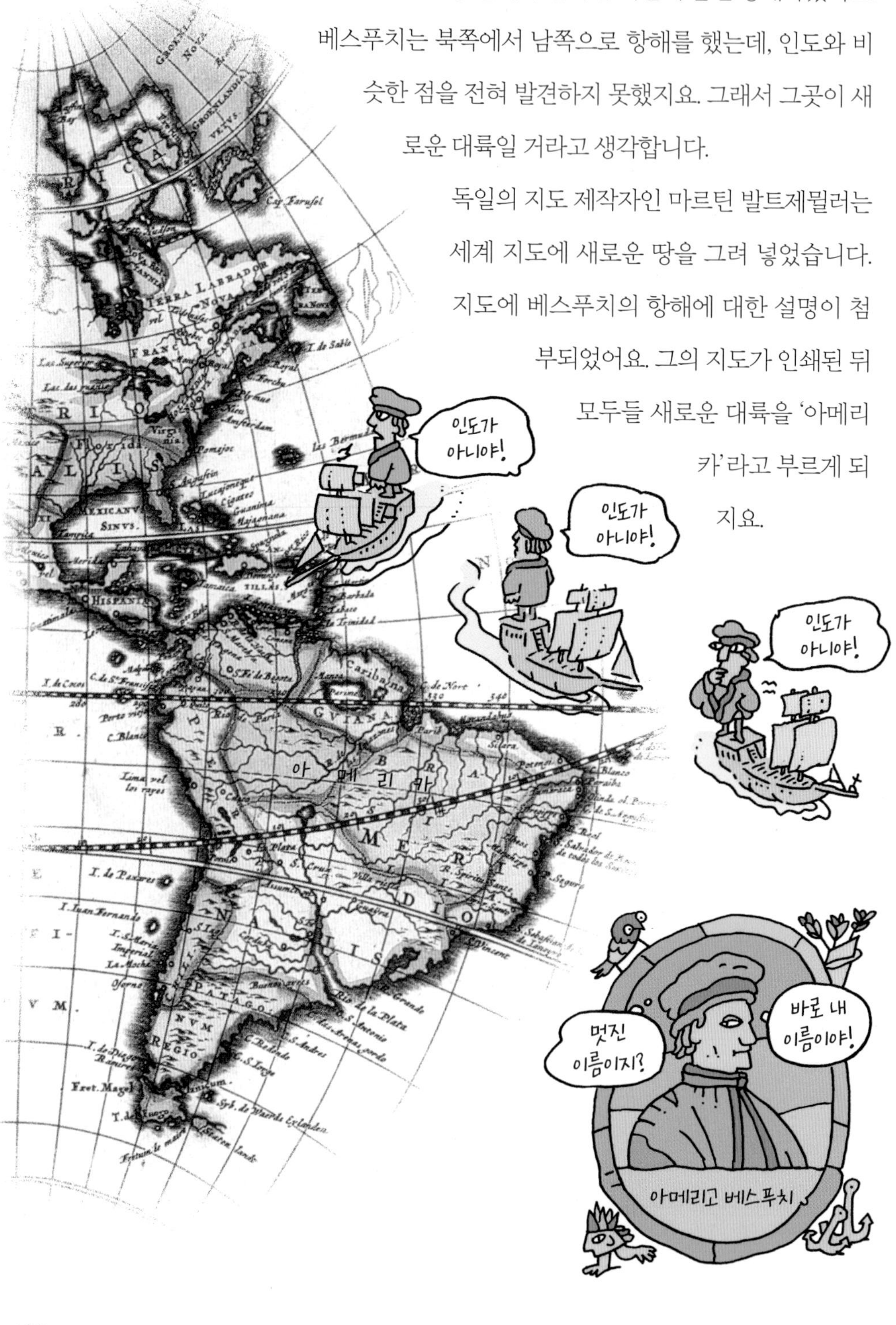

인도가 아니야!
인도가 아니야!
인도가 아니야!
아 메 리 카
멋진 이름이지?
바로 내 이름이야!
아메리고 베스푸치

지구가 둥글다는 걸 밝힐 용기

아메리카의 '발견'만으로는 충분하지 않았어요.
아직도 지구가 포카치아처럼 평평하며, 대척지를 향해 지하 허공 속으로
거꾸로 떨어진다고 믿는 사람들이 있었지요. 이러한 생각을 뒤집는 데에는
포르투갈 젊은이의 번득이는 아이디어와 고집이 필요했어요.

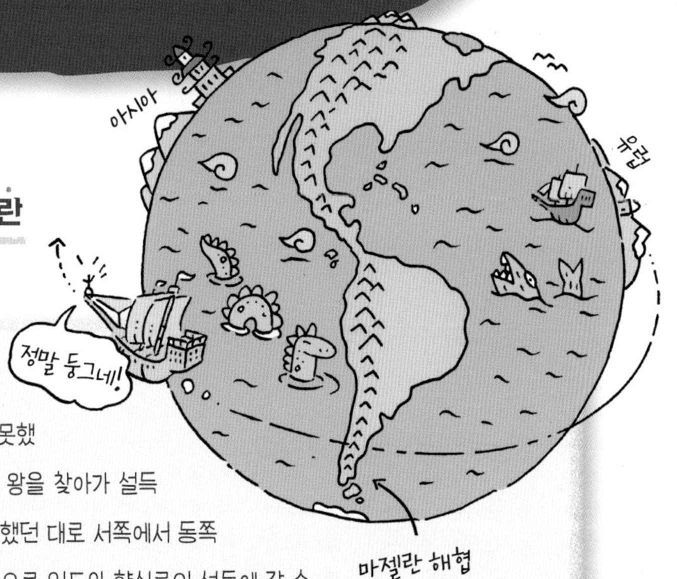

38 탐험 시대를 열다, 마젤란

현인들은 지구가 둥글다고 확신했지만 아무도 그것을 직접 증명하지는 못했지요. 나는 포르투갈 사람인데, 스페인 왕을 찾아가 설득했습니다. 크리스토퍼 콜럼버스가 생각했던 대로 서쪽에서 동쪽으로 인도와 향신료의 섬들에 갈 수 있다면 굉장한 이득을 얻을 것이라고 말이지요. 그렇게 해서 1519년 8월 10일, 다섯 척의 배를 이끌고 세비야항을 출발합니다.

그 배들 중 단 한 척, 빅토리아호만이 환상적인 모험에서 살아남아, 1522년 9월 6일에 세계 일주를 마치고 스페인으로 무사히 돌아오게 되지요. 빅토리아호는 존재하는 줄도 몰랐던 넓은 바다를 항해해야만 했어요. 바다가 고요해 보였기 때문에 나는 평화로운 바다라는 뜻으로 '태평양'이라고 이름 붙였지요. 신기하게도 그 이름이 그 뒤로도 계속 사용돼요. 그러나 이름처럼 평화로운 바다는 절대 아니랍니다.

우리가 인도에 도착할 수 있는 항로가
반드시 있으리라 확신한다.
—페르디난드 마젤란

금이다!

향신료를 찾아서

마젤란이 모험을 떠난 목적은 서쪽에서 출발해서, 그 당시 스페인 왕의 소유였던 말루쿠제도에 도착하는 것이었어요. 말루쿠제도는 향신료가 풍부한 환상의 섬들이었지요. 그 섬들은 그 당시에는 알려지지 않았던 오스트레일리아 북서쪽에 자리 잡고 있었어요. 현대에는 슈퍼에서 손쉽게 구할 수 있는 '향신료'(육두구, 후추, 정향 같은)가 그 당시 유럽에서는 매우 귀했어요. 금값을 주어야 할 정도였지요. 말하자면 아메리카는 콜럼버스에 의해 '발견'되었고, 마젤란은 북구와 지중해 요리에 맛을 내기 위해 그곳에 들른 셈이에요.

우주 한가운데의 작은 세상

마젤란은 위대한 탐험의 시대를 열었어요. 하지만 그가 임무를 마쳤을 때에도 여전히 지구는 고정되어 있으며, 별과 달과 태양이 지구 주위를 돈다는 게 일반적인 생각이었답니다. 우리가 사는 집이 지구의 남쪽에 있든 북쪽에 있든, 창가에서 하늘을 바라보면 그렇게 생각되는 게 당연하지요. 하지만 실제로 하늘에서는 행성들이 움직이고 있어요. 목성, 금성, 화성을 자세히 바라보면 저마다의 궤도로 움직인다는 사실을 알게 되어요. 가끔은 이미 지나온 궤도로 되돌아가는 것처럼 보이기까지 해요.

2세기경에 살았던 그리스 천문학자 클라우디오스 프톨레마이오스는 행성의 위치를 예측할 수 있는 우주의 모델을 만들었어요. 비록 지구가 그 한가운데에 있기는 했지만요. 이것을 프톨레마이오스 체계라고 부른답니다.

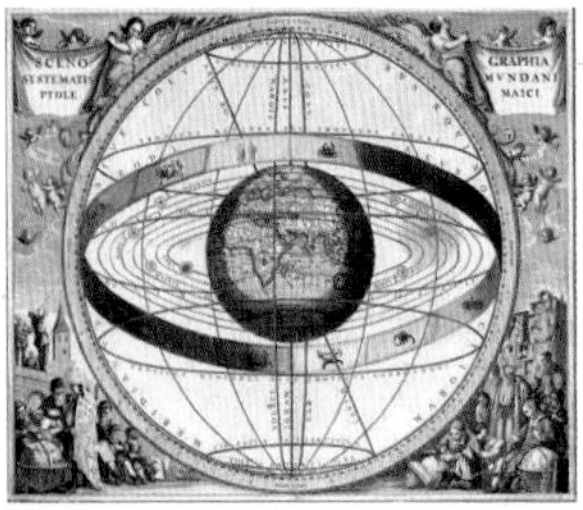

프톨레마이오스 체계:
프톨레마이오스는 지구가 우주의 중심이며, 태양과 다른 행성들이 그 주변을 돈다는 천동설을 고안했다.

지구는 움직이지 않습니다!
그렇지 않아요!

39 최초로 지동설을 주장하다, 코페르니쿠스

지구가 태양 주위를 돕니다.
태양이 지구 주위를 도는 게 아니라고요!

사실 내 아이디어가 아주 새로운 건 아닙니다. 2천 년 전에 사모스의 아리스타르코스가 벌써 태양 중심설을 주장했고, 소수의 지지자도 있었거든요. 그때 나는 크라쿠프 대학에서 잠시 신학을 공부하던 신학생이었지요. 필경사, 의사, 천문학자로 일하면서 돈을 벌었어요. 그러면서 수학과 기하학을 이용해, 내 눈으로 하늘에서 본 것을 묘사하는 법을 배웠지요. 뭔가 이상했습니다. 지구는 우주 한가운데에 정지해 있지 않았거든요. 달만이 지구 주위를 돌 뿐이었지요. 나는 《천구의 회전에 관하여》라는 책을 썼지만 출판하기가 두려웠어요. 나더러 신중하다고들 하는데, 사실 다 그럴만한 이유가 있었답니다. 기존의 생각을 무너뜨릴 아이디어가 담겨 있었으니까요. 목숨이 위태로울 정도로 과감한…….

여기서 그렇게 말하고, 저기서 부정하고…….
NICOLAI COPERNICI TORINENSIS DE REVOLVTIONIBUS orbium cœlestium, Libri VI.

코페르니쿠스는 자신이 어떤 말을 하는지 잘 알고 있었습니다. 코페르니쿠스 이후에 전 세계에서는 그의 아이디어를 '코페르니쿠스 혁명'이라고 부르지요. 코페르니쿠스의 위대한 아이디어를 설명하는 《천구의 회전에 관하여》라는 책은 1543년, 그러니까 그가 사망할 무렵에야 출간이 돼요. 게다가 전해지는 이야기에 따르면, 그가 이 세상을 영원히 떠나기 바로 직전에야 이 책의 초판을 보았다지요?

코페르니쿠스는 교회의 강한 반발을 받을 것이 뻔해서 책을 출간하기가 두려웠어요.

위험하지 않은 아이디어는 아이디어라 불릴 가치가 없다.
—오스카 와일드
대체 무슨 생각이야?
코페르니쿠스, 미친 거 아냐!?
뭐가 보이지?
움직이는 태양이요!

그래서 궁리 끝에 뉘른베르크에 살고 있던 친구 오지안다에게 출판을 부탁했지요. 그 때 로마에는 종교 재판소를 세운다는 소문이 떠돌고 있었다고 해요. 오지안다는 코페르니쿠스가 쓴 책이 문제를 일으킬 것 같은 생각이 들자, 책 내용 중에서 '그렇다'고 말한 것을 '그럴 수도 있다'는 식으로 적당히 고쳐 놓았어요. 코페르니쿠스가 태양 중심설을 주장한 책의 머리말도 자신의 천체 관측에 맞추어 설명한 것일 뿐이라는 식으로 고쳐서 출판을 했지요.

코페르니쿠스가 힘들여 써낸 책은 그렇게 그의 생각과 다르게 고쳐져서 세상에 나왔답니다. 어쨌든 그 덕분에 숨이 끊어지기 직전에 최후로 사죄의 은총을 받는 의식인 종부성사가 진행되었고, 이단이라는 비난을 피할 수 있었지만요.

40 행성 운동의 비밀을 풀다, 케플러

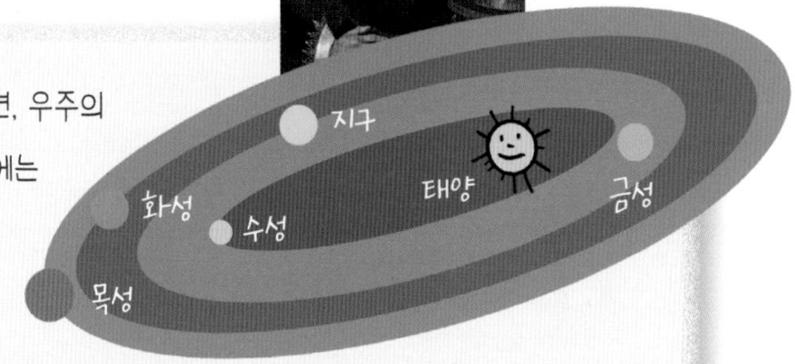

나의 동료 코페르니쿠스의 이론에 따르면, 우주의 중심에는 태양이 있어요. 하지만 이 이론에는 몇 가지 결함이 있지요. 첫 번째는 태양이—여러분이 나보다 더 잘 알겠지만—우주의 중심에 있는 게 아니며, 태양은 우리 은하의 두 번째 나선 팔에 있는 평범한 별에 불과하다는 거죠. 두 번째는 지구를 포함한 행성들이 완벽하게 원을 그리며 태양 주위를 돌지 않는다는 거예요. 그러나 내가 수정한 코페르니쿠스의 체계는 고대인들의 체계보다 훨씬 더 훌륭해요. 뿐만 아니라 나의 법칙들은 여러분이 인공위성의 궤도를 계산할 때 사용할 정도로 짝짝 들어맞지요.

케플러는 1571년에 독일에서 태어나서 1630년에 사망한 천문학자입니다. 점성술사이자 풍경화가이고 음악가이며 작가였던 케플러는 한 남자가 달에 착륙하는 내용

고마워요, 케플러!
천만에!

이 담긴 최초의 공상 과학 소설을 쓰기도 했어요. 하지만 그 당시 유럽은 아주 혹독한 시기였지요. 순응적인 사상을 갖지 않은 사람은 매우 위험했답니다. 심지어 케플러의 어머니는 마녀 재판을 받기도 했어요.

이런 터무니없는 이론을 주장하는 자가 있다는 건가?
그렇습니다! 고문을 당하면서도 말입니다!

케플러 법칙

- **첫 번째 법칙** : 모든 행성은 타원형의 궤도를 그리며 태양 주위를 돈다. 태양은 타원의 두 초점 가운데 한 초점을 차지한다. 태양의 둘레를 도는 행성이 태양에서 가장 멀리 떨어지는 지점을 '원일점'이라 하고, 가장 가까워지는 지점을 '근일점'이라고 한다.
- **두 번째 법칙** : 행성이 궤도를 도는 속도는 균일하지 않으며, 태양에 가까워질수록 빨라진다.
- **세 번째 법칙** : 행성이 궤도를 도는 데 드는 시간의 제곱은 태양에서 중간 정도 떨어진 거리의 세제곱에 비례한다.

41 현대 과학의 문을 열다, 갈릴레오

나의 번득이는 아이디어가 뭐냐고요?
별을 관찰하기 위해 망원경을 사용한 거랍니다!

여러분, 안녕하십니까? 나는 음악가이자 직물상인 빈첸초의 아들, 갈릴레오 갈릴레이입니다. 1564년에 피사에서 태어났는데, 그 유명한 피사의 사탑은 그때도 이미 기울어져 있었지요. 아버지와 형처럼 나도 음악과 인생을 사랑했어요. 다만 나는

우주는 펼쳐져 있는 책이지만,
그 책을 읽으려면 거기에 쓰인
언어를 알아야 한다.
그 언어는 수학과 기하학이다.

과학자이자 철학자로서 코페르니쿠스가 확실하게 증명하지 못했던 주장을 증명하고 싶었답니다. 즉 지구가 태양 둘레를 도는 것이지, 태양이 지구 둘레를 도는 게 아니라는 걸 말입니다.
나는 오늘날 여러분이 '과학적 방법'이라고 부르는 것을 발명하기도 했지요. 이론의 증명이나 단순한 아이디어의 확인은 반복적이며, 공유할 수 있는 연속적인 관찰과 실험을 통해서 이루어져야만 한다는 거예요. 실험이 반복적이라는 것은 이론이 타당하면 받아들일 수 있다는 뜻이에요. 그렇지 않으면 그 반대가 되겠지요. 즉 하나의 가설 혹은 기적으로 남게 될 뿐이지요!

그럴 수 있지!

갈릴레오의 세 가지 발견

갈릴레오는 망원경으로 목성 주위의 작은 위성 세 개를 발견했어요. 오늘날 우리는 그 위성이 목성 주변의 수많은 위성들 중 세 개라는 사실을 잘 알고 있지요. 하지만 갈릴레오의 관찰은 특별했어요. 하늘에 다른 천체의 둘레를 도는 수많은 천체들이 있다는 사실을 증명했으니까요. 그러니까 지구도 그럴 수 있다는 거죠.

흑점들은 이동했다가
다시 나타나지!!
난 스스로
회전해!
가능해!

갈릴레오는 태양 흑점들의 움직임을 관찰했어요. 흑점은 매일 태양의 표면에서 움직이는 아주 어둡고 넓은 부분이에요. 흑점들은 사라졌다가 반대편에서 다시 나타나지요. 태양이 자신의 축을 중심으로 도는 거예요! 태양이 그렇다면 우리 지구도 그럴 수 있어요.

뭐, 그럴 수
있지!

갈릴레오는 금성을 관찰하다가 달과 같은 '위상'을 보인다는 사실을 알아차렸어요. 즉 초승달 모양, 보름달 모양, 그믐달 모

양의 금성을 발견한 거지요. 금성이 지구와 태양 사이에 있으며, 지구처럼 태양 둘레를 돌기 때문에 이런 일이 일어나는 거예요! 이렇게 해서 코페르니쿠스 체계는 지동설을 집요하게 반대하던 사람들에게 당당히 입증을 하게 되었답니다.

이단이라고 고백하라!

위대한 아이디어에 대한 재판

갈릴레오는 코페르니쿠스의 이론을 지지했기 때문에 로마에 소환이 되어서 종교 재판소에서 재판을 받았어요. 이단죄로 고문을 받고 화형을 당할 위기에 처했지요. 갈릴레오는 어쩔 수 없이 자신의 생각을 포기해야만 했어요. 다시 말해, 자신의 생각을 부인해야만 했던 거지요.

종교의 교리에 반대되는 교의래요.

사실 인류는 자신들이 더 이상 우주의 중심에 있지 않다는 사실을 받아들여야만 했어요. 뿐만 아니라 우리 지구가—아직 깨닫지는 못했다 해도—자신의 축을 중심으로 적도에서 시속 1,600킬로미터 이상으로 팽이처럼 회전하고, 시속 100,000킬로미터 이상의 속도로 궤도를 그리며 우리 태양 둘레를 돌고 있다는 사실을 이해해야만 했지요! 사실 현대에도 이해하기 어려운 이론들이에요.

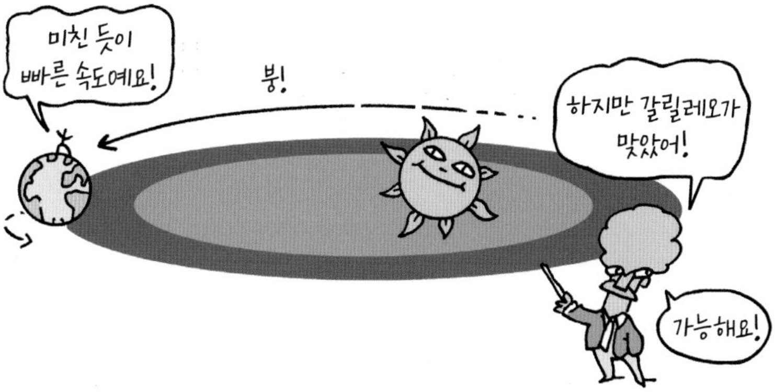
미친 듯이
빠른 속도예요!
붕!
하지만 갈릴레오가
맞았어!
가능해요!

만원경을 만들다

한스 리퍼세이는 망원경을 만들고 널리 사용하게 만든 독일과 네덜란드계 안경 기술자예요. 그는 1608년에 네덜란드 정부의 주문으로 최초의 망원경을 제작했어요. 그에 관련된 보고서를 베네치아 출신 과학자 파올로 사르피가 읽게 되면서 친구인 갈릴레오에게 그 이야기를 해 주었지요.

갈릴레오는 망원경을 한 번도 본 적이 없었지만 즉각 제작을 해 보았고, 여러 번의 시도 끝에 망원경 만들기에 성공했어요. 그리고 곧 베네치아의 통령과 10인 위원회에 망원경의 사용을 제안했지요. 그렇게 해서 갈릴레오는 별이 총총히 뜬 한밤에 망원경으로 달과 별을 관찰하게 되었답니다.

맞았다!
툭

끝없이 이어지는 발명과 발견

갈릴레오는 자신의 아이디어를 열심히 소개했을 뿐만 아니라 과학 도구들을 발명하고 개량했어요.

그리고 종종 놀라운 실험도 했지요. 일단 온도계의 조상인 알코올 온도계를 발명했어요. 진자의 등시성(진자는 진동의 주기가 일정(등시성)하기 때문에 주로 시계의 움직임을 조절하기 위해 쓰여요. 갈리레오는 피사의 대성당에 있는 램프가 흔들릴 때의 운동과 자신의 맥박 수를 비교해 진자의 등시성을 밝혀내지요.)도 발견했고요.

기울어진 면을 이용해서 중력 가속도의 값을 구하기도 했습니다. 피사의 사탑에 올라가 많은 사람들 앞에서 다양한 물질의 추를 던져 그것들이 모두 같은 순간에 땅에 떨어진다는 사실을 증명하기도 했지요.

갈릴레이는 이렇게 현대 과학의 문을 열었어요. 갈릴레이 이후 새로운 아이디어들이 줄을 잇게 되었으니까요.

우주의 가장 강력한 법칙을 발견하다

우주에 존재하는 모든 것은, 그러니까 달을 포함해서 우리 머리 위에 떨어지는 사과까지 모두, 매우매우 중요한 자연의 법칙과 힘을 따릅니다. 여기서 가장 강력한 법칙을 발견한 사람은 놀랍게도 케임브리지 대학을 갓 졸업한 젊은이였어요.

42 세상에서 가장 유명한 사과, 뉴턴

진리는 아주 단순한 데서 찾을 수 있다. 결코 혼돈 속에 있는 게 아니다.
—아이작 뉴턴

그렇습니다. 지구는 둥글고 자전을 해요. 코페르니쿠스와 케플러, 갈릴레오 덕분에 그 사실이 밝혀졌어요. 우리는 심지어 지구가 팽이처럼 믿기지 않을 정도로 빠르게 돌며 시속 100,000킬로미터로 태양 둘레에서 궤도를 그리며 돈다는 아이디어까지 이해하게 되었답니다.
그런데 우리 머리 위 별들의 환상적인 운동을 조종하는 건 무엇일까요? 행성들은 어떤 특별한 법칙들을 따르는 걸까요? 별들이 태양계에서 달아나 어두운 허공으로 흩어지지 않게 만드는 것은 무엇일까요? 우리는 왜 대척지로 거꾸로 떨어지지 않을까요? 적도 부근에서 운석과 같은 속도로 내던져지지 않게 해 주는 것은 무엇일까요? 거대한 행성계에만 해당되는 의문이 아니에요. 우리가 어떤 물건의 무게를 달거나 들어 올릴 때 천체들의 관계를 조정하는 것과 동일한 법칙이 작용을 합니다. 이 법칙을 나, 아이작 뉴턴이 발견했어요.

우주는 내 법칙대로 움직여!
과대망상이지?
아니야!

아이작 뉴턴은 케임브리지 대학을 갓 졸업한 젊은 시절에 자신의 놀라운 법칙에 대해 생각하기 시작했어요. 그 당시 케임브리지 대학은 지금처럼 유명한 대학이 아니었

고, 캠강을 바라보고 서 있는 건물들에 화장실조차 없었지요. 수많은 학생들과 함께 숫자조차 헤아릴 수 없는 시궁쥐들이 모여 살던 곳이었답니다. 게다가 그 무렵에는 무시무시한 흑사병이 영국 전역을 뒤덮었어요.

케임브리지에 계속 머물 상황이 아니었어요. 모두 급히 대학을 떠나 버렸거든요. 우리 대학처럼 더럽고 사람이 많은 장소에서 흑사병은 더욱 쉽게 퍼졌으니까요. 조금만 상식이 있는 사람이라면 계속 그곳에 있다가는 어떻게 될지 금방 아는 거지요.

런던에서는 흑사병으로 수천 명이 죽어 갔어요. 그래서 나는 집으로, 그러니까 울즈소프의 농가로 돌아갔답니다. 시골에는 사람이 별로 없었지요. 양과 닭들과 함께 훨씬 더 건강하게 살 수 있어서 전염병의 위험은 적었어요. 나는 내 방에서 연구에 몰두했답니다. 물론 가끔씩 산책도 했지요.

어느 날 산책을 하다가 사과나무 앞에서 걸음을 멈추었어요. 주위가 무척 조용했지요. 그때 잘 익은 사과 하나가 내 옆에 툭 떨어지는 바람에 나는 기절할 듯이 놀랐어요. 그때는 상상도 못 했지만, 그 사과는 훗날 이 세상에서 가장 유명한 사과가 된답니다. 아마 스티브 잡스의 그 유명한 사과, 한쪽을 누군가 베어 먹은 그 사과보다도 더욱더 말이지요.

사과 일화는 아주 특별한 사람에 의해 널리 알려지게 돼요. 그 사람은 바로 런던에 추방당해 있던 프랑스 철학자 볼테르였어요. 볼테르는 뉴턴을 매우 높이 평가했지요. 어쩌면 그 일화가 사실이 아닐지도 모르고, 볼테르가 문학적으로 바꾸어 사람들에게 많은 호응을 얻은 것일 수도 있어요.

하지만 그 작은 과일 하나가 천재적인 아이디어를 탄생시켰을지도 모른다는 게 너무나 멋져서 그 이야기를 믿지 않을 수가 없어요. 그래서 지금 우리도 뉴턴의 위대한 아이디어가 사과 한 알에서 시작되었다고 생각하는 게 아닐까요?

뭐 하는 거예요?
지금 날 끌어
당기는 거예요?

뉴턴의 법칙

• **관성의 법칙(제1법칙)** : 물체(사과든 천체든)는 멈춰 있거나 균일한 직선 운동을 하거나, 변화를 일으키는 힘이 개입하지 않는 한은 계속 그 상태를 유지한다.

음, 이게
무슨 짓이에요?
퍽

• **가속도의 법칙(제2법칙)** : 움직임의 변화는 가해지는 힘에 비례한다. 가해지는 힘이 클수록 속도가 빨라진다.

• **작용–반작용의 법칙(제3법칙)** : 모든 힘에는 크기가 같고 방향이 반대인 힘이 존재한다. 우리가 바위를 밀면 바위는 우리의 힘과 같은 크기에, 방향이 반대인 힘으로 저항을 한다.

아하!
저항하지 마!

• **만유인력의 법칙** : 모든 물체는 다른 물체를 자신을 중심으로 끌어당긴다. 물체가 클수록 인력이 커진다. 지구는 달을 끌어당기고, 달은 같은 크기의 힘으로 지구를 끌어당긴다. 그 결과, 달은 지구의 둘레를 돌면서 대양을 끌어당겨 조수를 만든다. 사과도 지구를 끌어당기지만, 지구의 힘은 사과가 사용하는 힘과 비교하기 힘들 정도로 막대하다. 그래서 우리는 지구의 인력만을 감지할 뿐이다.

43 여러 가지 색깔의 띠, 스펙트럼

젊은 뉴턴은 시골집에 머무는 동안 또다시 놀라운 관찰을 합니다. 빛, 다시 말해 우리 주위에 비치는 하얀 빛, 태양이나 램프의 빛이 사실은 하얀색이 아니라는 것을 알게 되지요. 오히려 빛은 빨간색에서 보라색까지 다양한 색깔로 구성되어 있다는 거예요.

문에 난 구멍을 통해 빛을 유리 프리즘까지 통과시킨 다음, 그 빛을 무지개색으로 분해해 그 사실을 발견했어요. 또 다른 프리즘으로 빛을 모아서 다시 하얀 빛을 만들 수

스펙트럼이라고 불러야지!
무슨 미친 생각이야?

도 있었지요. 여러 가지 색깔의 띠를 '스펙트럼'(라틴어로 '유령'이라는 뜻)이라고 부르는데, 프리즘이 없으면 유령처럼 볼 수 없기 때문이에요.

이 아이디어가 즉각 큰 영향을 미치지는 않았어요. 그뿐만 아니라 뉴턴은 빛이 입자로 구성되어 있다고 주장했지요. 천문학자인 크리스티안 호이겐스 같은 동료들은 빛이 파동이기 때문에 우리에게까지 도착한다고 생각했고요.

빛은 입자야!
아니, 파동이야.
뉴턴? 굉장히 큰 실수를 했어.
—크리스티안 호이겐스

20세기에 빛은 광자, 다시 말해 전자기파의 '다발'이라는 게 밝혀져요. 그리고 눈에 보이지 않는 '스펙트럼'은 아주 넓어서 적외선, 자외선 모두 눈으로 볼 수 없는 아주 짧은 무한한 파동의 띠들을 포함하고 있다는 것을 알게 되지요. 그렇게 새로운 세계가 시작된답니다.

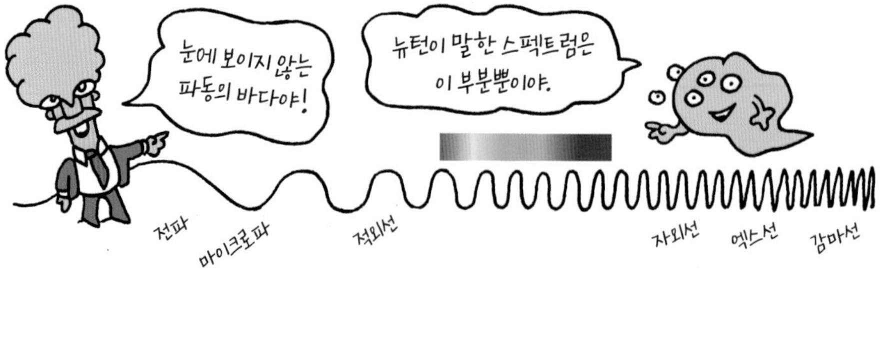
눈에 보이지 않는 파동의 바다야!
뉴턴이 말한 스펙트럼은 이 부분뿐이야.
전파
마이크로파
적외선
자외선
엑스선
감마선

44 공기 압력의 힘을 증명하다, 게리케

진공 상태로 만들면 이 그릇들이 서로 떨어지지 않아요.
자연은 진공을 싫어해요!

빛은 별과 별 사이의 진공을 여행하는데, 이 진공에 대한 아이디어에 모두가 매혹되었어요. 독일 마그데부르크의 시장으로, 천문학과 물리학에 더할 수 없이 큰 관심을 갖고 있던 오토 폰 게리케는 인공적인 진공을 만들어 보려 했답니다. 진공을 둘러싼 공기의 놀라운 압력을 증명하는 실험까지 했지요.

1654년, 레겐스부르크에서 황제 페르디난트 3세가 지켜보는 가운데 그 유명한 실험을 했어요. 구리 그릇 두 개를 맞붙인 뒤, 그 안에 지름 약 35.5센티미터의 빈 공간을 만들고 공기를 다 빼냈답니다(마그데부르크의 반구). 그러자 주변 공기의 힘만으로 붙어 있던 두 그릇이 여덟 필의 말이 끌어당겨도 떨어지지 않았지요. 이로써 공기 압력에서 나오는 힘이 엄청나다는 사실을 실험을 통해 처음으로 증명했어요.

P

두 개의 반구(그릇) 안이 진공 상태일 때, 양쪽에서 세게 잡아당겨도 분리가 되지 않아요. 두 개의 그릇이 대기압에 눌려 단단하게 결합되어 있으니까요.

45 진공의 비밀을 파헤치다, 토리첼리

갈릴레오의 제자인 에반젤리스타 토리첼리는 신기한 현상을 설명했어요. 펌프의 작

그 후 온도계를 발명했다.
—에반젤리스타 토리첼리

용으로 물을 10미터까지는 끌어올릴 수 있지만, 그 이상의 깊이에서는 불가능하다는 것을 발견한 스승에게서 영감을 받았거든요. 갈릴레오가 죽고 난 후, 토리첼리는 공기가 무게를 갖고 있기 때문에 누르는 힘을 지닌다는 것을 이론으로 만들었지요. 이 이론을 증명하기 위해 접시에 수은을 채워 실험을 했답니다. 수은이 물에 비해 무겁고 압력의 변화에 따른 변화량이 적기 때문이에요.

그리고 한쪽 끝이 열린 유리관에 다시 수은을 채운 뒤 접시 안 유리관의 열린 쪽이 수은 아래에 잠기도록 거꾸로 세웠어요. 수은의 일부가 유리관 밖으로 빠져나가서 유리관 수은의 높이는 76센티미터가 되었지요. 유리관에 수은이 그 정도 높이로 남아 있다는 것은 대기 압력이 접시에 담긴 수은에 압력을 가하기 때문이라는 걸 의미해요.

10미터가 넘으면
물을 끌어올릴 수가 없어.
펌프
펌프
대기

이 실험은 토리첼리가 최초로 진공 상태를 만든 계기가 된답니다. 수은 기둥은 대략 76센티미터에서, 물기둥은 대략 10미터에서 대기압과 평형을 이룬다는 거예요. 물은 펌프질로 '끌어올려지는 게' 아니라 물 표면에 가해지는 대기압에 의해 펌프가 만들어 내는 진공에 밀려 오르는 거랍니다.

46 열기관을 발명하다, 뉴커먼

여러분 시대에는 나로 인해 산업 혁명이 시작되었다고 말하겠지요. 우리끼리 이야기지만, 난 살아생전에 크게 인정을 받지 못했어요. 내가 어떤 일을 했냐고요? 나는 상인이었어요. 곡괭이며 손수레, 광산에서 쓰는 도구들을 팔았지요.

전부 다
내가 만들었지요!
펑
펑

광산은 내가 살던 시대에는 끔찍하게 열악한 곳이었어요. 다섯 살짜리 어린아이까지 하루에 열네 시간씩 광산에서 일을 했지요. 인부들이 갱도에 고인 물에 빠져 죽는 일도 많았고요. 갱도 속에 있는 구덩이의 물을 건조시킬 저렴한 방법이 없었지요. 가장 강력한 펌프라 해도 10미터 이상의 깊이에 있는 물을 '끌어올리지' 못했으니까요. 발명가인 드니 파팽과 토마스 세이버리가 '화력'을 이용해 물을 끌어올리는 아이디어를 냈지요. 그 이전에 크리스티안 호이겐스는 '화약' 기관을 이용해 보려 했지만 문제점이 상당히 많았어요.

마침내!

그래서 나는 열기관을 발명해서 제작했답니다. 놀랍게도 열기관이 작동을 했는데, 다섯 필의 말이 움직이는 장치보다 훨씬 더 경제적이었어요. 하지만 나는 영국 궁정에 친구가 없고, 토마스 세이버리 대장처럼 귀족 출신도 아니어서 세이버리와 동업자가 되어야만 했지요. 이 영리한 사람이 '불을 사용해서 물을 움직이는 모든 기관'에 대한 특허를 받았기 때문이에요.

1729년, 토마스 뉴커먼이 세상을 떠났을 때 수백 개의 증기 기관이 유럽에서 사용되었어요. 하지만 아쉽게도 정작 그는 증기 기관으로 거의 이득을 얻지 못했답니다.

특허권에 대한 아이디어

특허권은 법적인 권리로, 어떤 사람이 자신이 발명한 물건을 통해 이익을 얻고, 다른 사람들의 사용을 허락하는 독점적인 권리를 말합니다. 공동체를 풍요롭게 하는 훌륭한 아이디어를 가진 사람을 보호하는 것을 목적으로 하며, 그 사람이 돈을 벌 수 있게 해 주지요.

아이디어를 가진 사람이 자신의 아이디어가 새롭고

칙!
칙!
내가 전 세계 불에 관한 특허를 가지고 있네.
자네에게 한 푼도 줄 의무가 없어.

독창적이라는 사실을 항상 증명할 수는 있는 것은 아니에요. 그리고 원래 아이디어를 가지고 있던 사람이 언제나 특허권을 갖는 것도 아니고요.

1474년에 베네치아 공화국에서 특허권을 규정한 법이 최초로 제정되었어요. 사실 아주 오래전에도 왕과 황제들은 유용한 혁신 기술을 발명한 발명가와 장인들에게 '허가증'을 주었답니다.

47 증기 기관으로 특허를, 와트 앤 컴퍼니

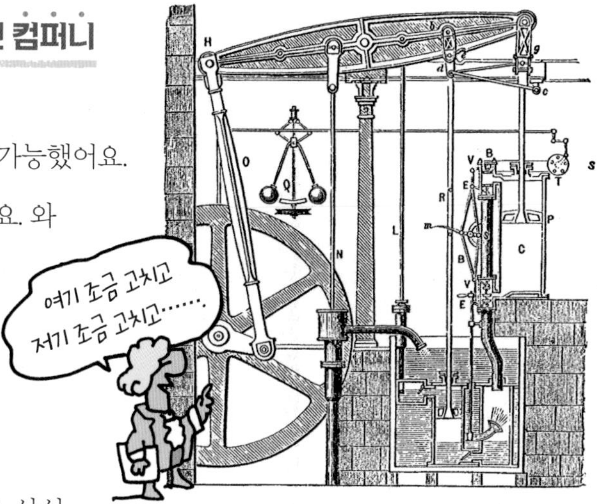
여기 조금 고치고
저기 조금 고치고……

뉴커먼의 기관은 광산에서만 이용이 가능했어요. 그 기관을 개량한 사람은 제임스 와트예요. 와트는 선박 기술자의 아들로 기계를 매우 좋아했답니다. 글래스고 대학에서 장비 제작자로 일하다가 정말로 유용한 기관을 설계했지요.

1769년에 세이버리의 특허권이 효력을 상실하자, 와트는 자신이 만든 열기관을 '증기 기관에서 증기와 연료의 소모를 줄이는 새로운 방법'으로 소개해 특허를 얻었어요. 그 후 와트의 증기 기관은 물방앗간, 방직 공장, 기계 공장, 제지 공장, 간단히 말해 어디서나 쓰이게 되었답니다.

아싸, 주말은 증기 기관과 함께!
그래요!
칙
칙

증기가 바퀴를 돌리다

1801년에 영국의 젊은 기계 기술자인 리처드 트레비식이 와트 증기 기관의 모형을 제작해 보고 나서 사람을 몇 명 태울 수 있는 마차를 연결했습니다. 트레비식은 거기에 친구들을 태우고 소풍을 갔어요. 몇 년 뒤, 런던에서 그 마차를 선보였지요. 런던에서는 선로 위에서 움직였는데 입장권을 구입해야 볼 수 있었답니다.

악취가 나는 데다 위험하기까지 한 이런 차량을 타고 여행할 사람은 이 세상에 아무도 없을 것이다.

—제임스 와트

저걸 부수자!

1825년에 스톡턴과 달링턴 사이에 세계 최초의 철도가 개통되었어요. 철로 길이는 17킬로미터였지요. 철도용 기관차를 만든 조지 스티븐슨은 그 기관차에 '로커모션'이라고 이름을 붙였답니다. 역사상 최초의 여객 철도 기관차였어요.

몇 년 전인 1803년과 1807년경에 와트의 증기 기관이 미국 선박과 프랑스 선박에 설치되었지요. 뱃사공들은 일자리를 빼앗길까 봐 두려워 최초의 증기선들을 격렬하게 반대했어요. 하지만 그것은 시작에 불과했고, 곧 증기선은 널리 보급되어서 아무도 막을 수가 없었답니다.

백 년 이상 운송 수단들과 산업용 기계 대부분이 증기 기관으로 대체됩니다. 3세기가 지난 지금도 화석 연료와 핵연료 발전소에서 전기 에너지를 생산하는 대형 원동기 같은 많은 기계들이 증기 기관 덕분에 움직이고 있지요.

펑
펑
펑!

화학을 발전시킨 천재적인 아이디어

"미래에는 깨끗한 공기가 고급 상품으로 유행하게 될지 누가 알겠는가?
지금까지는 생쥐 두 마리와 나만 이런 공기를 마시는 특권을 누리고 있지만."
— 조지프 프리스틀리

48 산소를 발견하다, 프리스틀리

진짜 친구이지요!

라부아지에가 만난 프리스틀리

내가 번득이는 아이디어를 낼 수 있었던 것은 조지프 프리스틀리 덕분입니다. 프리스틀리는 장로교 목사이며 화학자이고 철학자이자 시민의 자유와 미국의 독립을 지지한 진보주의자였어요. 나중에 미국으로 건너가게 되지요. 프리스틀리의 사상은 그 당시 영국에서는 지나치게 급진적이었지요.

나는 그가 파리에 머물고 있다는 걸 알고 우리 집에 초대했답니다. 그런데 저녁 식사 자리에서 프리스틀리가 이상한 이야기를 하더군요. 보통의 공기보다 훨씬 더 활동적이고 깨끗한 공기를 발견했다는 겁니다. 그 공기는 촛불을 더 크게 키우고 장작불을 더 활활 타오르게 만들며 아주 빠르게 없어진다는 거예요. 게다가 그 공기를 마신 쥐들은 평균 다섯 배 이상 오래 산다고도 하더라고요. 프리스틀리도 그 공기를 마셨는데, 일반 공기보다 톡 쏘는 맛이 좋더라나요? 간단히 말해 그는 기적의 공기를 만드는 방법을 찾아냈으며, 훗날 고급 상점에서 판매할 수 있으리라고 예상했어요.

혁명적인 공기랍니다!
프랑스 만세!
빵!
쾅쾅

앙투안 라부아지에는 자신의 연구실에서 프리스틀리가 발견한 공기를 분석하고선 그 공기가 전혀 '새로운' 게 아니라는 사실을 발견했어요. 그렇긴 해도 그 공기의 성분은 일반 공기보다는 훨씬 더 활동적이고 깨끗했지요.

그뿐만이 아니에요. 연소를 하면 그 성분이 고스란히 사라지는 게 아니라, 오히려 연소되는 물질이 공기 중의 이 성분과 결합한다는 사실을 알게 되었답니다. 우리의 호흡이 연소와 유사한 현상을 띤다는 사실뿐 아니라 둘 다 다른 가스, 즉 이산화탄소를 배출한다는 것도 발견했고요. 라부아지에는 이 기체에 '산소'라는 이름을 붙였어요. 그리스어로 '생명을 만드는 산(酸)'이라는 뜻이에요.

산소를 소개하겠습니다.
O_2
생명체에 없어서는 안 될 기체랍니다.
아니, 모든 것에!

보이지 않는 실체

불은 산소를 사용합니다. 열기관과 인간과 동물도 마찬가지지요. 식물들이 산소를 만들어 내지만 우리는 전혀 고마워하지 않아요. 산소는 우리 주위에 널려 있어요. 눈에 보이지는 않지만요.

산소가 없으면 우리는 죽습니다. 우리는 매 순간 대기 중의 다른 성분들과 함께 산소를 호흡해요. 우리 장기의 내부에서 난로나 벽난로처럼 산소를 태워서 다른 기체로 만들지요. 하지만 그 기체도 눈에 보이지는 않아요. 라부아지에가 연구를 하기 전까지는 그 누구도 그 기체의 존재와 성질을 상상조차 하지 못했답니다.

49 근대 화학의 아버지, 라부아지에

라부아지에는 1743년에 프랑스에서 태어났어요. 1768년에 세금 징수원이 되었지만, 같은 해 과학 아카데미의 회원이 되는 등 과학 연구를 게을리하지 않았지요. 무엇보다

객관적인 실험을 중시한 라부아지에는 '질량 보존의 법칙' 등 중요한 업적을 많이 남겨 근대 화학의 아버지로 불린답니다. 하지만 이런 업적에도 불구하고 말년에 단두대의 이슬로 사라지는 불운을 맞이했어요.

> 우리는 사실에만 의존해야 한다. 사실이란 자연이 준 것이라서 절대로 속이지 않기 때문이다.
> —앙투안 라부아지에

질량 보존의 법칙은 화학 반응이 일어나기 전 반응 물질의 질량과 화학 반응 후 생성된 물질의 질량이 같다는 것이에요. 즉, 화학 반응이 일어나기 전 물질들은 화학 반응 후 생성된 물질들로 변하기 때문에 물질이 소멸되거나 이전에 없던 물질이 생겨나지 않고 원소들이 서로 교환되기만 할 뿐이라는 뜻입니다.

또, 물의 분석과 합성에 대한 실험도 진행했어요. 고열을 이용해 물을 수소와 산소로 분리하는 데 성공했으며, 반대로 수소와 산소 기체를 이용해 물을 합성해 보이기도 했지요. 물을 생성하는 데 필요한 수소와 산소의 질량을 측정하기도 했답니다.

이를 통해 라부아지에는 물은 원소가 아니라 서로 다른 두 원소의 화합물이란 사실을 밝혀냈어요. 라부아지에는 곧 첫 번째 원소 목록을 작성했는데 거기에 금, 철, 수소, 산소, 수은, 유황이 포함되었답니다. 자연적으로 무한히 합성되고 혼합되는 단순한 성질을 가진 액체, 고체, 기체의 많은 원소들이 들어 있었지요.

참으로 안타까운
결말이군요.ㅠㅠ

이런 업적에도 불구하고 프랑스 혁명을 계기로 그의 인생은 바뀌고 말았어요. 프랑스 혁명 당시 세금 징수원들이 부패의 온상으로 몰리면서 라부아지에 역시 사형을 선고받았거든요.

당시 그의 나이는 51세. 사형을 당하기 전, 재판장에게 중요한 실험을 할 수 있도록 2주일만 재판을 연기해 달라고 요청했답니다. 하지만 재판장은 "프랑스 공화국은 과학자를 필요로 하지 않는다."는 말을 남기며 곧바로 사형에 처해 버렸지요. 만일 라부아지에에게 2주일의 시간이 더 주어졌다면 어떻게 됐을까요?

라부아지에가 처형된 지 얼마 지나지 않아, 그에 대한 처형이 그릇됐다는 여론이 일기 시작했어요. 천문학자 제롬 랄랑드는 그를 긍정적으로 평가한 책을 썼으며, 장례도 치르지 못한 채 공동묘지에 버려졌던 그의 시신을 찾아 매우 성대하게 장례식까지 치러 주었답니다. 하지만 뒤늦은 후회일 뿐이었지요.

그러니까 위대한 아이디어를 낸 사람들이 항상 그에 맞게 인정을 받은 것만은 아닌가 봅니다.

50 원자를 찾아내다, 돌턴

화학 반응 중일 때, 원자들의 수나 크기는 언제나 동일하다.
— 존 돌턴

나는 방직공의 아들입니다. 우리 가족은 모두 퀘이커교도로 검소하고 하느님을 경외하는 사람들이지요. 나는 맨체스터에서 공부했고, 대학 졸업 후 초등학교에서 학생들을 가르쳤답니다.
모두 다 알다시피, 나는 색각에 이상이 있었어요. 그래서 색각 이상에 내 이름을 붙여 돌터니즘이라고 부르지요. 나는 색깔을 구별하지 못해요. 빨간 양말을 신어도 회색으로 보이지요. 아, 참! 내가 천재적인 아이디어를 냈다는 사실을 기억하는 사람은 그리 많지 않아요. 음, 나는 원자의 무게를 재는 방법을 발견했어요.
원자들의 무게를 끊임없이 비교하고 분석했지요. 그 당시 알려진 거의 모든 원소의 무게를 추적했을걸요. 물론 원자가 내가 상상했던 당구공과 전혀 다르다는 사실은 미처 깨닫지 못했지요!

0,000000000000000000000000……g!
원자

원자는 함께 있는 것을 좋아한다

수소 원자
우리는 물이야!
산소 원자

돌턴의 계산이 맞지 않을 때가 종종 있었어요. 나중에 아메데오 아보가드로라는 토리노의 화학자가 그 이유를 발견했지요.

우리는 산소 분자야.
산소 원자들

아보가드로는 법관의 아들로 그 역시 법학을 전공했지만 과학에 큰 흥미를 가지고 있었답니다. 아보가드로의 말에 따르면 원자들은 혼자 있기를 싫어한다고 해요. 그래서 '분자'라고 불리는 결합체를 형성해요.

'라부아지에가 생각한 원소라는 것을 더 파고 들면 어떻게 될까? 산소라는 원소를 더 깊이 조사해 보면 아주 작은 알갱이로 되어 있지 않을까? 그리고 탄소의 알갱이 몇 개와 산소의 알갱이 몇 개가 붙어서 이산화탄소 알갱이가 되는 것이 아닐까? 아마 물도 산소 알갱이와 수소 알갱이가 붙어서 된 것이리라.'

돌턴은 이런 생각들을 하면서 물질을 이루는 가장 작은 알갱이를 '원자(아톰)'라고 이름 붙였어요. 아톰(atom)은 '더 이상 쪼갤 수 없는 가장 작은 알갱이'라는 뜻을 가진 그리스어에서 따온 거예요.

돌턴이 화학 연구를 시작한 것은 서른 살이 되던 해부터였어요. 맨체스터의 한 초등학교에서 교사 생활을 하고 있을 때였지요. 그러다가 얼마 후, 그 일을 그만두고 개인 교수를 하면서 화학 연구를 이어 갔답니다. 그는 여러 가지 물질, 특히 기체에 대한 연구로부터 다음과 같은 가설을 생각해 냈어요.

나는 한 물질 속에
얼마나 많은 원자와 분자가 포함되어 있는지
계산해 내는 수를 발견했다.
—아메데오 아보가드로

1. 물질은 더 이상 쪼갤 수 없는 작은 알갱이인 원자로 이루어져 있다.
2. 같은 원소의 원자는 무게(원자량) 및 그 밖의 성질이 모두 같다.
3. 화합물은 두 가지 또는 그 이상의 원자가 항상 일정한 정수비로 결합하여 생긴 물질이다.

이것을 '돌턴의 원자설'이라고 하는데, 1803년에 제창했답니다. 그로부터 5년 뒤, 《화학의 신체계》라는 책의 첫째 권을 출간하여 자신의 생각을 학계에 널리 알렸지요.

51 주기율표를 만들다, 멘델레예프

나는 앞으로 발견해야 할 원소들을 예측할 수 있는 표를 고안했다.
—드미트리 멘델레예프

나는 원시림에 둘러싸인 작은 도시, 시베리아에서 태어났습니다. 고향의 강물은 겨울이면 얼어붙었고, 숲에서는 큰 사슴들을 만나곤 했어요. 아버지는 교육자였고, 어머니는 작은 유리 공장을 운영했어요.
나는 화학을 공부했는데, 그 당시에는 별로 중요하지 않은 학문이었지요. 그리고 상트페테르부르크와 독일에서 학생들을 가르쳤어요. 어느 날 독일에서 열린 화학 학회에 참석했다가 번득이는 아이디어를 얻게 되었답니다. 나는 그때까지 알려진 모든 원소를 원자량에 따라 나란히 배치했어요. 그러자 놀라운 일이 벌어지기 시작했지요. 원소들의 성질이 정확한 주기성을 보인 거예요.
실제로 다양한 원소들을 표로 정리하자 고정된 수의 칸 다음에 비슷한 성질

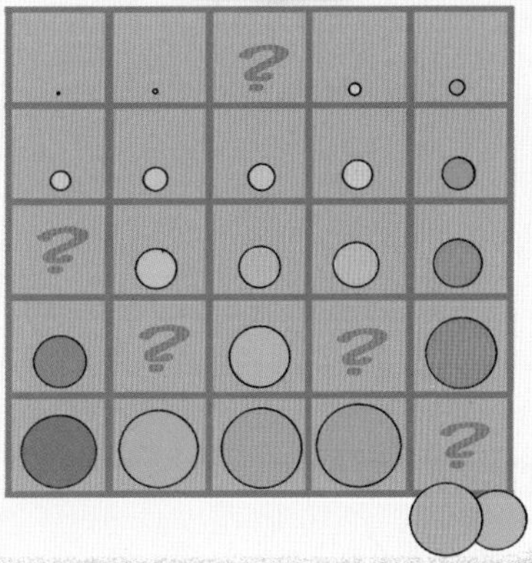

을 지닌 원소가 자리를 잡았어요. 금속, 준금속, 이런 식으로 말이에요. 어떤 칸은 비어 있기도 해서 당황스러웠지요. 나는 아직 더 발견해야 할 원소들이 있다고 생각했어요. 그런 원소의 무게와 성질을 이미 가정해 볼 수 있었거든요.

표에서 빠진 원자들

멘델레예프의 동료인 키르히호프와 분젠은 불꽃의 모든 원소가 특별한 빛을 발사한다는 사실을 알아차렸어요. 프리즘을 이용해 그 빛을 분해하자, 그 빛에 절대 변하지 않는 특별한 스펙트럼이 있다는 사실이 밝혀졌지요. 그렇게 해서 어떤 물질에 어떤 원소가 포함되어 있는지를 발견하고, 또 그동안 알려지지 않은 원소들을 찾아낼 수 있게 되었어요. 두 사람은 곧 두 개의 원소, 즉 세슘과 루비듐을 발견했는데, 이 원소들은 이미 멘델레예프가 주기율표에 '예약'해 놓았던 원소들이었답니다.

이걸로 스펙트럼을 볼 수 있어요.
바로 여기서 물질이 탄답니다.
지지직

52 비료의 아버지, 리비히

좋아요!
우린 물을 굉장히 많이 마셔요. 그리고 부식토를 좋아한답니다. 고마워요!

나는 1803년에 독일의 다름슈타트에서 태어났어요. 아버지는 염료 상인이었지요. 열세 살 때 흉년이 들면서 전 유럽이 황폐해져 식량이 부족하게 되었답니다. 많은 날들을 굶주리게 되었지요. 나는 아버지가 하는 일을 돕다가 화학에 많은 관심을 갖게 되었어요. 그런데 친구들에게 보여 주고 싶은 실험이 있어서, 집에서 만든 장치로 학교에서 실험을 하다가 폭발하는 바람에 김나지

그러니까 너희는 미네랄을 공급받을 수 있어!

움에서 퇴학을 당했답니다.

그래도 운이 좋은 편이었어요. 자연주의자이자 여행가인 폰 훔볼트를 알게 되었으니까요. 훔볼트와 친구가 된 덕에 나는 위대한 화학자인 게이 뤼삭의 작업실에서 조수로 일하게 되었거든요. 나는 식물 세계에 관심을 갖고 그에 몰두했으며, 나무들에게 인과 질소, 그리고 아주 소량의 몇몇 미네랄이 절대적으로 필요하다는 사실을 발견했어요. 이런 성분들이 흙에 없으면 나무들은 자라거나 열매를 맺지 못한답니다. 나는 땅에서 식물이 자랄 수 없는 이유, 그리고 수많은 고대 왕국들이 멸망한 이유가 여기에 있다고 확신했지요. 그렇게 해서 비료를 발명했어요. 그 덕에 어느 지역에서나 식량을 자유로이 얻게 되었답니다.

자연에서 빼앗아 온 것은
꼭 자연에 되돌려 주어야 한다.
—유스투스 폰 리비히

고형 육수를 발명하다

폰 리비히는 동물성 단백질처럼 인간에게 필요한 몇 가지 물질을 발견했어요. 그리고 보관이 가능하고 가격이 적당한 소고기 추출물을 발명했지요. (이것은 훗날 '고형 육수'가 돼요.)

그의 시대에는 여전히 많은 사람들이 굶주리며 살았어요. 그가 이룬 발명 덕분에 빈곤층까지도 매일매일 필요한 단백질을 섭취할 수 있게 되었답니다.

VERO ESTRATTO DI CARNE LIEBIG.
Giuoco della palla.

리비히는 식품 회사를 설립했는데 국제적으로 크게 성공을 거두었다. 그리고 '리비히 카드'를 만드는 역사적인 광고 마케팅 아이디어를 내기도 했다.

53 역시 건강엔 비타민 C가 최고!

머리카락이 빠져!
난 이가 빠졌어!
도와줘요!

비타민 C는 여러 병으로부터 우리 몸을 보호를 해 주고, 혈관과 피부와 근육과 뼈를 강화시킵니다. 과거에는 비타민 C의 유익한 성질을 알지 못했어요.

하지만 그것이 결핍되면 무시무시한 결과가 나타난다는 사실은 알게 되었지요. 바로 괴혈병에 걸리는 거예요. 특히 바다에서 오랜 시간 항해를 하는 선원들이 괴혈병 병에 잘 걸렸어요. 마젤란이 태평양을 항해할 때 그 배의 선원들도 마찬가지였답니다.

미션, 괴혈병을 물리쳐라!

이 괴혈병을 퇴치한 사람은 영국 해군의 선상 의사인 제임스 린드였어요. 그가 탄 배에 괴혈병이 퍼지자, 린드는 선원 12명을 고른 다음 2명씩 짝을 지어 여러 그룹으로 나누었지요. 배에서 보통 먹는 음식에 그룹별로 각기 다른 뭔가를 첨가했답니다. 사과주스, 황산, 식초, 향신료, 허브, 바닷물, 레몬 같은 것들이었어요. 린드는 모르고 있었지만 레몬에 비타민 C가 풍부하게 들어 있었지요.

사과주스
황산
식초
향신료
바닷물

다른 그룹의 선원들은 병이 악화되거나 사망했어요. 그런데 레몬을 먹은 선원 2명만

이 빠르게 회복되었답니다!

레몬 만세!
오렌지 만세!
아하!

그 후 린드는 오렌지도 탁월한 효과가 있다는 사실을 발견해요. 그 덕분에 1795년부터 모든 영국 함대에 오렌지가 공급되었답니다. 여러 통의 레몬도 함께 실었지요.

1세기 후 폴란드 출신으로 미국에 귀화한 카시미르 풍크는 이 현상을 비롯해서, 특정 물질의 부족으로 생기는 유사한 현상을 연구합니다. 그는 이 특정 물질을 '비타민'이라고 불러요.

모두가 섭취할 만큼 충분합니다.
다른 비타민
비타민 C

우리끼리 하는 이야기지만, 건강하게 살려면 비타민을 충분히 섭취해야 하니까 과일과 채소를 많이 먹읍시다.

전기, 삶을 편리하게 만들다

전기는 다양한 방식으로 모습을 드러냅니다.
번개는 가장 강력한 전기이지만 매우 위험하고 치명적이지요.
미국의 한 젊은이가 번득이는 아이디어로 번개를 정복해요.
특히 미국에서 진정한 영웅으로 대접받는 인물입니다.

흠, 많은 사람들이
내 얼굴을 알아본답니다!
FEDERAL RESERVE NOTE
THE UNITED STATES OF AMERICA
100
G 05833443 A
WASHINGTON, D.C.
ONE HUNDRED DOLLARS

54 100달러짜리 지폐 속의 프랭클린

벤저민 프랭클린은 지금도 인기가 좋은데요. 꼭 그의 천재적인 아이디어 때문만은 아니에요. 프랭클린은 미국 건국의 아버지 중 한 사람이에요. 그는 보스턴에서 태어났는데, 그 당시 보스턴은 영국 왕의 수많은 식민 도시 가운데 하나였어요.

프랭클린은 미국이 독립 국가로 우뚝 서는 데 큰 힘을 보탰지요. 심지어 어떤 사람은 프랭클린이 미국을 만들었다고까지 해요. 100달러짜리 지폐에 얼굴이 인쇄될 정도로 미국에서 큰 사랑을 받는 게 그리 놀랄 만한 일은 아니지요.

자, 보시오!
신기술입니다!

나의 아버지는 영국 출신 상인이었습니다. 나는 이복형을 도와 인쇄공으로 일했어요. 그러다가 여행을 시작했는데요. 전단지와 명함, 소식지, 정확히 말하면 그 당시의 신문을 인쇄해서 생활비를 벌었지요. 또, 유해한 가스가 나오지 않는 난로를 개발했답니다. 그 후 전 세계에서 이 난로를 모방한 난로가 만들어졌어요. 이 난로를 발명했을 때, 펜실베이니아에는 아직 원주민을 비롯해 영국 조지 국왕의 병사들이 많았지요.

번개에서 방전되는
전기를 끌어당겨.
쾅!
쾅!
쾅!
쾅!
푸지직

뾰족한 금속의 끝부분에는
전기를 끌어당기고 분산시키는 힘을 가지고 있어요.
이 놀랍고 당혹스러운 사실을 발견하면서
가장 특별한 발명을 하게 되었답니다.

우르르 쾅쾅!
우르르 쾅쾅!
우르르 쾅쾅!
우르르 쾅쾅!
우르르 쾅쾅!

역시 번개엔 피뢰침!

안 돼!
찌리릿!

내가 살던 시대에는 해마다 수많은 집들이 번개를 맞았는데, 해결 방법이 딱히 없었답니다. 번개를 맞아 종탑과 집들이 불탔고, 온 시내가 불바다가 되었지요. 그래서 나는 번개의 성질을 알아보려고 번개 사냥을 나가기로 결심했습니다. 먼저, 커다란 연의 연줄에 열쇠를 매달았어요. 그러자 실제로 하늘에서 번개가 번쩍일 때 땅에도 작은 불꽃이 번득이더군요.

나는 번개가 전기라는 사실을 증명했어요. 사실 내 생각이 딱 맞았어요. 내가 번개를 끌어당기고 있었거든요. 나의 실험을 흉내내다가 불에 타 죽은 사람도 몇몇 있었지요! 하지만 그런 시도 끝에 나의 발명품이 탄생했답니다. 뾰족한 끝에 철사를 연결해 땅까지 이어서 번개를 유도했거든요. 그렇게 해서 그 에너지를 땅에 전달한 거지요. 땅에 도달한 에너지는 아무 해도 입히지 않은 채 흩어져 버렸어요. 간단히 말해 피뢰침을 발명한 거예요.

내 생각이 맞는지 어디 보자.
쾅!
찌리릿!
사람 살려!

금속침
쾅!
됐어!
유도선

벤자민 프랭클린은 최초로 '전깃불'을 제어하는 데 성공했습니다. 이 천재적인 아이디어는 지금도 수많은 사람들의 생명과 재산을 보호해 주고 있지요. 단순하지만 완전히 새로워서 곧 전 세계적으로 널리 이용되었어요.

산책용 피뢰침
무도회용 피뢰침
Fig. 72. PARAFULMINE PORTATILE.

물론 그 당시에 이 새로운 발명품에 지나치게 열광하는

것을 조롱하는 풍자적인 그림이 그려지기도 했지만요.

프랭클린의 동료 과학자들 대부분이 응접실에서 실험을 하거나 초자연적인 현상을 설명하기 위해서만 정전기를 사용했다는 점을 생각해 보면 프랭클린의 발명은 참으로 특별한 실험 결과였어요. 실제로 전기가 생명과 관련된 유동체여서, 죽은 물질에 생명을 부여할 수 있을지도 모른다고 확신한 사람이 있었거든요.

55 전기를 발생시키다, 볼타

10000 LIRE DIECIMILA
내 얼굴도 지폐에 인쇄되었답니다!
D'ITALIA
HF 609950 A

나의 위대한 아이디어는 이상한 연구 결과로 탄생했습니다.

나는 벤저민 프랭클린의 실험에 큰 관심을 가졌지만, 나와 같은 이탈리아인인 루이지 갈바니의 실험이 훨씬 더 흥미로웠어요. 갈바니의 실험이 좀 불안하긴 했지만요. 갈바니는 웅덩이에 죽어 있는 개구리들을 마치 살아 있는 것처럼 움직이게 만들었거든요.

갈바니는 개구리들의 조직을 되살리기 위해 기전기로 만든 전기뿐 아니라 자신의 집 테라스로 끌어들인 번개의 전기까지 사용했지요. 갈바니는 전기가 일종의 생명과 관련된 유도체라고 여긴 채, 생명을 주기도 하고 죽이기도 한다는 사실을 증명하려고 했어요.

실제로 세포에서 전기를 띤 다양한 현상들이 나타났지만, 현미경으로 관찰해야 할 만큼 미세한 수준이어서 번개와 낙뢰의 전기와는 비교조차 할 수 없었지요! 갈바니는 아주 특이한 실험을 했는데, 죽어서 껍질이 벗겨진 개구리를 아치형 금속의 끝으로 건드려서 개구리를 움찔거리게 했답니다. 개구리가 마치 '전류를 발생시키는' 것 같았어요!

살아 있는 것처럼 움직이는데!
윽, 소름 끼쳐요!
갈바니

나는 약간 변형을 해서 그 희한한 실험을 반복했고, 내 연구 방향을 싹 바꿔 놓는, 전혀 예상치 못한 결과를 얻었지요.

실험 결과

- **첫 번째 실험** : 아치형 금속의 종류가 각기 다를 때 죽은 개구리의 경련이 더 심했다.
- **두 번째 실험** : 개구리를 제거해도 금속의 양끝 사이에서 똑같이 전기가 발생했다. 그러니까 개구리는 전기와 상관이 없고, 유도체는 두 금속 간의 접촉에 의해 생겨났다.

금속 A
볼타
금속 B

개구리가 없어도 된다고?
네, 다행히도요!
금속 A
금속 B

갈바니는 부분적으로 실수를 했어요. 하지만 볼타는 그에게 감사하며 자신이 발견한 새로운 형태의 전기를 '갈바니 전기'라고 불렀답니다.

볼타가 살던 시대에 전기를 생산하는 장비는 보잘것없는 데다 그다지 쓸모도 없었어요. 발전기들은 살롱에서 과학 시연을 할 때 불꽃을 몇 번 번득이게 하는 데 성공했을 뿐인데, 그런 시연은 솔직히 속임수가 많았답니다.

와!
여기서 불꽃이 나오지!

볼타는 그와는 전혀 다른 길을 갔지요. 그러다가 전류를 생산하는 최초의 장치를 만들게 된답니다. 볼타의 번득이는 아이디어는 개구리가 아닌 다른 생물, 즉 전기가오리를 관찰하면서 탄생했어요. 전압의 단위인 V(볼트)는 1881년에 그를 기념하여 붙여진 이름이에요.

푸지직
푸지직

전기가오리는 깊은 바다에 사는데, 바닥의 모래와 뒤섞여 있는 납작한 물고기예요. 먹이에 충격을 주고 적들을 기절시킬 수 있는 전기 기관을 가지고 있지요. 나는 수많은 금속 원판 사이사이에 젖은 천을 넣고 층층이 쌓아서 일종의 샌드위치를 만들었답니다. 결과는 놀라웠지요. 내가 전기를 생산하는 장치를 제작한 거니까요. 그 모양 때문에 모두들 '더미'라고 부르게 되지요!

휙!

푸지직!

제 발명품은 대성공을 거둘 겁니다!

전기를 만드는 전지

전지는 기계 없이, 그러니까 마찰이나 가여운 동물들의 피부를 벗기지 않고도 전기를 만들어 냅니다. 알레산드로 볼타는 천과 금속판 '더미'를 미래의 프랑스 황제인 나폴레옹에게 선보이게 돼요. 사실 그때만 해도 볼타는 아직 그것이 무엇에 쓰일지는 상상하지 못했어요. 하지만 그의 '더미'의 성공은 특별했고, 워털루에서 전쟁을 멈추고 만 나폴레옹과는 달리 도무지 그칠 줄을 몰랐답니다.

56 무엇이든 나눌 수 있어, 전기 분해

윌리엄 니콜슨과 앤서니 칼라일은 볼타의 발명에 열광했어요. 그리고 그것을 이용해 다양한 실험을 했지요. 제일 단순한 실험에서 중요한 결과가 나왔답니다. 물에 집어 넣은 전지의 전극들이 물을 구성하고 있는 두 원소로 분해한 거예요. 그러니까 두 사람이 전기 분해에 성공한 거지요!

물은 그 구성 요소로 분해되지!
산소
수소
소금도 분해된다고!
우리 화학자들에게는 꿈같은 일이야!
전지

그런데 이것은 어디까지나 시작에 불과했어요. 물에 용해된 모든 요소를 전기로 분해할 수 있었으니까요. 예를 들면, 소금은 나트륨과 염소로 분해할 수 있는 것처럼요. 이제 화학에 무한한 가능성이 열리게 된 셈이에요.

57 새뮤얼 모스의 전보

최고의 아이디어들은
다른 사람의 아이디어를 바탕으로 커 가요.

바르셀로나에서 프랜시스코 살바가 전기 분해로 얻은 작은 물방울을 통신에 이용합니다. 처음으로 글(문장)이 전기로 전달되었지요.

A
A
보글 보글
A
B
C
사랑한다고 쓰려면 한 달은 걸리겠는걸!

하지만 이 방법을 사용하려면 글자마다 선이 있어야 해서 별로 실용적이지 않았어요. 살바의 멋진 아이디어를 특별한 통신 수단으로 변형시켜 줄 또 다른 천재적인 아이디어가 필요했답니다. 그런 아이디어를 낸 사람은 바로 미국인 새뮤얼 모스예요.

새뮤얼 모스
짧게 누르면 점입니다.
선 하나면 충분해!
길게 누르면 선이지요.
A
B
C
탁
타타탁

사람 살려!!
푸지직!

58 데이비, 조명을 발명하다

1810년에 험프리 데이비가 전기 조명을 발명합니다. 데이비는 두 개의 탄소 전극에 전지의 전극을 연결했어요. 이렇게 전극을 연결하면 아크 방전, 그러니까 매우 강력하고 지속적이며 눈부신 섬광이 만들어져요. 뭐, 그다지 실용적인 조명은 아니었어요. 빛이 너무 강렬할 뿐만 아니라 순식간에 흑연을 소모해 버리거든요. 게다가 근처에 있다가는 화상을 입을 위험도 있었고요.

여전히 고래 기름 램프와 촛불이 오랜 기간 조명 수단으로 이용되었어요. 좀 더 나은 경우라고 해도 가스 램프가 전부였지요.

데이비 이후 많은 발명가들이 불꽃 주위에 진공을 만들고, 다양한 종류의 필라멘트를 이용해서 효율적인 전등을 제작하려 노력했어요. 오랜 시간이 흐른 뒤, 드디어 미국에서 에디슨이 발명에 성공을 했지요. 에디슨의 전구는 엄청나게 인기를 끌어서, 에디슨 이후 발명가들의 천재적인 아이디어를 표현할 때 불이 켜진 전구를 종종 이용한답니다.

초는 부자들만 사용할 수 있다.
초보다 훨씬 값싼 전구를 만들고 싶어.
—토머스 에디슨

59 발전기와 전기 엔진

1820년에 한스 크리스티안 외르스테드가 전지에서 생산되는 전류가 지자기를 변화시킨다는 사실을 알게 되었어요. 다시 말해 전류로 인해 나침반의 바늘이 원래 가리켜야 할 방향과는 다른 쪽으로 향한다는 거예요. 곧이어 그는 전류가 자기장을 만들어 낼 수 있으며, 자기장은 유도 전류를 만들어 낼 수 있다는 사실을 발견해요.

마이클 패러데이는 이러한 직관에서 출발해서 최초의 발전기, 그러니까 움직이면서 전류를 만들어 내는 자석 발전기를 만들지요.

여러 해가 지난 뒤, 다른 발명가들이 같은 원리를 반대로 이용해서 전류를 공급하면 서서히 움직이며 유용한 힘을 만들어 내는 전동기를 개발한답니다.

자연환경 속에 감춰진 비밀

인간과 원숭이는 서로 닮았어요.
스웨덴의 한 식물학자가 번득이는 아이디어로
원숭이와 우리의 촌수를 확인한답니다.
그는 생물들 간의 관계를 정리해 보기로 결심했지요.

60 종을 분류하다, 린네

여러분은 어디에 속할까요?
내가 금방 분류해 드리지!

강, 계, 속, 종, 변종.
이것을 알고 싶은 사람은 차이에 따라
붙여진 이름을 알아 두는 게 좋다.
—칼 린네

나는 1707년에 스웨덴 남쪽의 작은 마을 래스폴트에서 태어났어요. 그 무렵 스웨덴의 국왕 칼 12세는 계속 전쟁을 하며 북유럽 전역을 침공하는 데 전력을 쏟았지요. 나는 평화주의자였고, 지금도 그렇다고 확신합니다.

아버지는 루터교 목사로 식물학에 관심이 많으셨어요. 그래서 아버지로부터 식물과 꽃 채집을 배웠지요. 대학에서는 의학을 공부했답니다. 의학을 공부하면서 동일한 약용 식물들이 각기 다른 이름으로 불려서 대단히 혼란스럽다는 사실을 깨닫게 되었어요.

나는 모든 종류의 식물들을 그 꽃의 몇몇 특징으로 구별할 수 있으며, 어떤 식물들은 같은 특징을 가진 식물들과 묶어서 분류할 수 있다는 것에 주목했지요. '종'은 더 큰 그룹으로 분류할 수 있는데, 그런 식으로 계속 분류가 가능해요. 나는 곧 모든 식물에 고유의 이름(종)과 성(속)을 부여하고, 그것들을 속으로 분류했어요. 유사한 속들은 같은 '과'로, 유사한 과는 '계', '계'는 '강'으로 분류할 수 있답니다.

난 칼이야!
난 몰라!

CAROLI LINNÆI
EQUITIS DE STELLA POLARI,
ARCHIATRI REGII, MED. & BOTAN. PROFESS. UPSAL.;
ACAD. UPSAL. HOLMENS. PETROPOL. BEROL. IMPER.
LOND. MONSPEL. TOLOS. FLORENT. SOC.
SYSTEMA
NATURÆ
PER
REGNA TRIA NATURÆ,
SECUNDUM
CLASSES, ORDINES,
GENERA, SPECIES,
CUM
CHARACTERIBUS, DIFFERENTIIS.
SYNONYMIS, LOCIS.
TOMUS I.
EDITIO DECIMA, REFORMATA.
Cum Privilegio S:æ R:æ M:tis Svecia.
HOLMIÆ,
IMPENSIS DIRECT. LAURENTII SALVII,
1758.

린네는 자신의 눈에 뜨인 식물들을 빠짐없이 끈기 있게 분류했어요. 식물에 라틴어 이름을 붙였는데, 지금 전 세계 식물학자들이 대부분 이 이름을 사용하고 있지요. 린네의 분류 체계는 주로 꽃의 기관을 바탕으로 세워졌는데, 꽃을 이루고 있는 기관들은 진화 과정을 거치면서도 거의 변하지 않고 그대로 유지하려는 경향이 있어요.

널 투베로숨이라고 부르마!
내 친구들은 감자라고 부르던데?

그 후 이 세상에는 엄청나게 많은 식물들이 자라고 있음이 밝혀지고, 그 많은 식물들을 한가로이 조사할 수 없기에 린네의 분류법이 더욱더 널리 쓰이게 되었답니다.

인간과 원숭이가 친족 관계라고?

린네는 자신의 '분류 방법'을 동물 세계에도 적용하기로 결심해요. 동물 세계에는 꽃이 없는 대신, 포유류, 조류, 어류 등에서 전형적으로 나타나는 서로 다른 특징이 있답니다. 린네는 먼저 이런 그룹 안에서 공통적인 특징을 찾아내요. 그리고 자연의 역사에서 바다와 대륙에 의해 수백만 년 전부터 나뉘어 있던 동물들을 같은 속과 과로 나누지요.

그 뒤 린네는 호모 사피엔스에 대해 번득이는 아이디어를 내놓는답니다. 그러니까 진화 이론이 등장하기 훨씬 전으로, 다윈이 호모 사피엔스를 '네 발을 손과 같이 자유로이 쓰는 동물', 다시 말해 원숭이들로 분류하기 훨씬 전이에요.

오! 오!

린네는 인간과 원숭이 사이에 친족 관계가 분명히 있다고 생각했어요. 자세히 살펴보면 우리는 사촌인 침팬지처럼 네 개의 손을 갖고 있지요.

61 진화의 비밀을 풀다, 다윈

나의 위대한 아이디어가 뭐냐고요? 나는 새로운 생물이 어떻게 창조되는지를 알아냈어요. 자연 선택을 기본으로 하는 진화 이론으로 파충류, 조류, 포유류, 그리고 인간이 어떻게 태어나는지를 설명했지요. 물론 갑자기 번득이는 아이디어가 떠오른 건 아니었어요. 오히려 오랜 세월의 연구와 길고 긴 여행의 결과였답니다.

나는 여행을 하면서 운 좋게도 독특한 풍경과 신기한 동물들을 만났어요. 그 위대한 모험은 피츠로이 선장이 지휘하는, 돛대가 세 개인 범선 비글호에 오르면서 시작되었지요. 비글호의 임무는 대영제국 해군을 위한 지도를 그리고, 새로운 항로를 개척하는 것이었답니다. 항해 중에 브라질, 파타고니아, 칠레, 오스트레일리아의 야생 지역을 걷기도 하고 말을 타기도 하면서 탐험을 했어요. 그리고 적도에서 오스트레일리아의 바다 쪽으로 가면서 서서히 변해 가는 지형과 기후, 식물, 동물의 모양을 빠짐없이 기록했답니다.

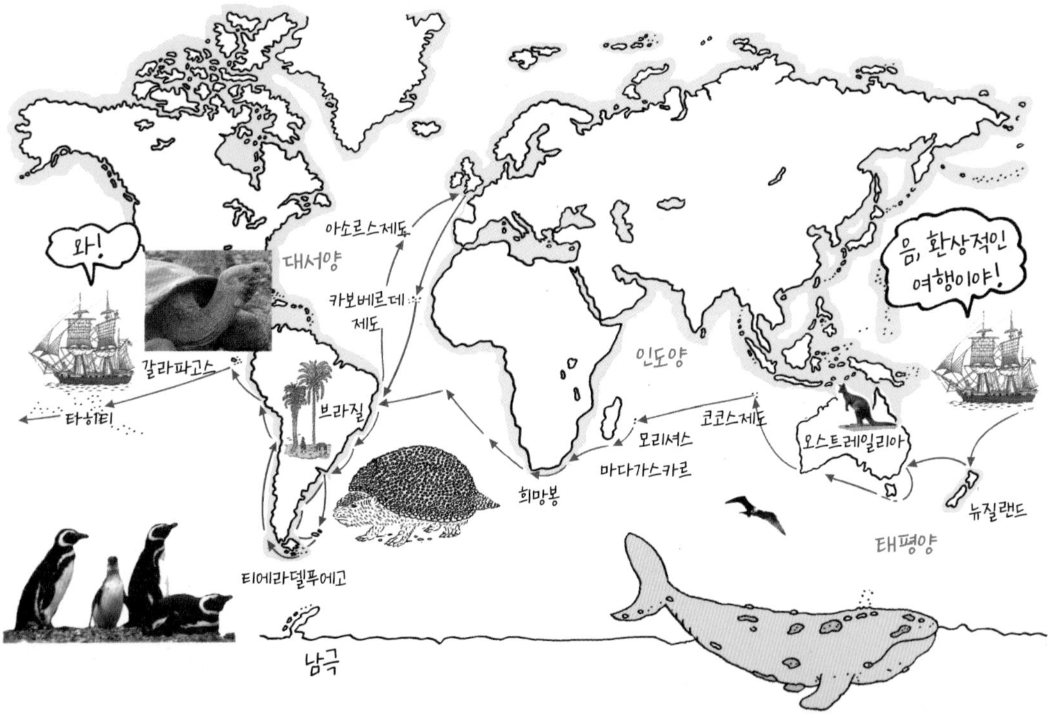

쾅
쾅

나는 아름다운 풍경을 즐겼다.
하지만 무엇보다 지각의 움직임과
생물체의 환경 변화가 가져오는
결과를 제대로 알아차렸다.
—찰스 다윈

진화가 어떻게 이루어지는지 내 눈으로 직접 보았어요.—
이렇게 표현하는 걸 양해해 주십시오. 진화는 모든 종의 변종에 작용을 하며, 생존에 가장 적합한 형태가 되게 도움을 주어요. 갈라파고스에서는 그랬어요. 고립되고 척박한 자연환경이 그 섬에서만 사는 특이한 종들을 만들어 냈거든요.
나는 고대 생물의 화석을 발견했고 그러한 종들로부터 현재 동물들이 유래했다고 추론했지요. 그리고 생물 진화의 계통을 보여 주는 최초의 생명의 나무를 그렸어요. 관목이나 산호초와 유사한 그림이었지요. 생명체는 나무의 맨 끝에 있는 반면, 그 생명체의 조상들은 이미 마른 가지가 되어 있어요. 나는 비글호에서 이 모든 사실을 알아차렸지만 진정한 이론으로 공개하기까지 이십 년을 기다려야 했어요.

우리, 이제
다 같이 해초 먹고
물속에서 헤엄치자.

책을 한 권 출간했는데 금방 매진이 되었답니다. 그 후 인간의 기원에 관한 책, 《종의 기원》을 출간했어요. 두 권의 책 모두 놀라운 성공을 거두었지요. 하지만 나를 절대 용서하지 않는 사람들도 있었어요. 우리 인간이 침팬지의 사촌이라는 사실을 불쾌하게 여기는 사람들이에요.

호모 사피엔스
원숭이
여우원숭이
영장류

다윈은 영국의 자연 과학자인 앨프리드 러셀 월리스의 편지를 받기 전까지는 자신의 아이디어를 서랍에 넣어 두고만 있었어요. 월리스는 아마존과 동남아시아에 거주한 적이 있었는데, 외국 곤충의 표본을 채집해서 수집가들에게 팔아 자금을 마련했지요.

그는 아주 젊을 때 탐험을 시작해서 말레이제도에서 다윈과 똑같은 결론에 도달했지요. 윌리스의 편지를 읽은 다윈은 월리스가 자신과 똑같은 생각을 가지고 있다는 사실을 알게 되었어요. 1858년 7월 1일, 친구들의 강력한 권고로 더 이상 주저하지 않고 월러스와 함께 린네 학회에서 논문을 발표했답니다. 그러니까 진화론은 월리스와 다윈의 아이디어인 거예요.

다윈이 그린 유명한 나무

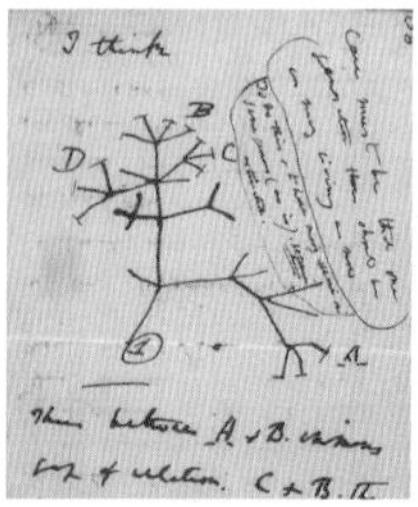

그 뒤 월리스는 지리와 진화가 상호 관계가 있다는 사실을 발견했지만 그의 이름은 이내 잊혀 버렸어요. 훌륭한 아이디어가 있다고 다 꽃피울 수 있는 것은 아니에요. 친구들을 적절하게 사귀는 것도 중요하답니다.

62 대륙 이동설을 주장하다, 알프레트 베게너

세계 지도를 잘 살펴보면 여러분에게도 반짝이는 아이디어가 떠오를 것이다.
—알프레트 베게너

다윈이 진화의 체계를 정리하긴 했지만, 깊고 넓은 바다를 사이에 둔 채 수천 킬로미터 떨어져 있는 대륙에서 동일한 고대 생물—예를 들어 공룡 같은—의 화석이 발견되는 이유는 아무도 설명하지 못했어요. 게다가 설상가상으로 그 화석의 제일 위층에는 고대 생물과는 전혀 다른 생물의 흔적이 새겨져 있었지요.

누군가 과거에 여러 대륙을 연결해 주던 '육교'가 있었으리라는 아이디어를 제시하기도 했지만, 그건 어디까지나 설득력이 떨어지는 가정이었어요.

깊은 바다와 알프스산, 그리고 안데스산 정상에서 발견된 조개껍질은 복잡하고 당황스러운 어떤 사실을 암시했어요. 동물들의 분포도 아주 이상했고요.

예를 들어 캥거루와 코알라 같은 유대목 동물들은 오스트레일리아와 남아메리카에만 살아요. 그래서 그런 대륙에서의 진화는 다른 대륙에서와는 전혀 다른 듯이 보이지요. 독일의 젊은 기상학자가 이런 기이한 현상을 모두 설명했답니다. 하지만 그의 아이디어는 너무 독특해서 사람들에게 오랫동안 진지하게 받아들여지지 않았지요. 심지어 그의 가족에게조차도 말이에요.

움직여!
말도 안 되는 소리야!
너, 미쳤구나!
대양
아메리카
아프리카
마그마

지금은 태평양이 해마다 약 2센티미터씩 넓어진다는 사실을 모두 알고 있어요.

내 아내의 아버지, 그러니까 나의 장인은 상당히 까칠한 분입니다. 장인은 과학 분야에서 존경을 받는 기후학자였지요. 그런데 대륙 이동에 관한 나의 이론을 책으로 출간하는 게 미친 짓이라고 말했어요.

자네가 우리를 파멸시키고 말 거야.

하지만 여러분도 세계 지도를 잘 살펴보면 훨씬 더 명확하게 이해할 수 있을 거예요. 아프리카를 남아메리카에 끼워 넣으면 그 형태가 완벽하게 맞아떨어지거든요. 두 대륙은 과거에 대양에서 솟아난 하나의 육지였어요. 뿐만 아니라 오늘날의 대륙들은 단 하나였던 거대한 대륙의 일부분에 불과해요. 나는 그 대륙에 '모든 육지'라는 뜻의 '판게아'라는 이름을 붙였어요. 판게아 대륙은 후에 아메리카, 유라시아, 남극, 오스트레일리아같이 여러 조각으로 갈라졌고, 지금은 그 사이로 대양이 자리 잡아 서로 떨어져 있지요. 대륙들은 2억 년 전의 원래 위치에서 상당히 멀어진 곳에 있답니다. 예전에 남극

대륙—지금의 남극—은 숲으로 뒤덮여 있었고, 열대 동물들이 뛰어다니며 살았어요. 오스트레일리아는 4,500만 년 전에 다른 육지들에서 떨어져 나와 계속 고립되어 있었지요. 오스트레일리아 대륙에 사는 포유류들은 거의 모두가 유대목 동물로, 지구의 다른 지역에서와는 전혀 다르게 진화를 했답니다.

베게너는 자신의 이론을 제대로 증명하지 못했어요. 하지만 그 증거를 찾아 사방을 돌아다녔지요. 제2차 국제 극지의 해에는 그린란드로 탐험을 떠났답니다. 그는 극지의 얼음 속에서 50번째 생일을 축하하기로 마음먹었어요. 그런데 탐험에 나섰다가 그만 기지로 돌아오지 못하고 말았지요. 차갑게 얼어붙은 그의 시신은 한참 뒤에야 발견되었답니다.

그 후 베게너의 이론은 수십 년 동안 잊혔어요. 1960년에 이르러서야 미국의 지질학자 해리 헤스가 대륙에 어떤 일이 일어났는지를 설명할 체계를 제시했지요. 헤스에 따르면 대륙들은 지구 내부의 마그마 위에 떠 있었어요. 대륙들은 멀어졌다가 충돌하면서 산맥이 솟아나고 바다와 대양의 물이 흡수되거나 확장되었답니다. 지각이 갈라져 거대한 조각들이 되었다는 '판 구조론'이지요. 지금도 판들이 움직여서 안데스 산맥이 높아지고, 지중해의 바다가 매년 10센티미터씩 넓어지고 있다나요?

인간의 생명을 살리는 아이디어

박테리아는 불멸이라는 특별한 선물을 받은 생물이에요.
박테리아는 수십억 번 분열하며
자신과 똑같은 균을 무한히 만들어 냅니다.
아, 몇백만 년 전의 미생물도 바로 이 박테리아였어요.

63 세균학의 아버지, 파스퇴르

생명은 생명에서 탄생한다.

—루이 파스퇴르

썩은 고기에서
파리가 태어나요.
애애앵

반짝!

아주 오래된 이야기입니다. 대(大)플리니우스(23~79. 고대 로마의 박물학자, 정치인, 백과사전식의 저서인 《박물지》를 썼어요.)는 죽은 소의 몸에서 벌떼가 태어났다

고여 있는 물에서
벌레가 생긴답니다.

고 말했어요. 아무것도 없는 데서 쥐나 벌레, 다른 생물이 어떻게 태어나는지 보여 주기 위해 서랍에 일부러 치즈를 넣어 놓은 사람도 있었지요!

신기하게도 그런 바보 같은 시도들이 차례로 증명이 되었어요. 살코기에 알을 낳는 벌레들을 막으면 아무것도 생기지 않았어요. 고기를 용기에 담아 끓이면 역시 아무것도 생기지 않았답니다. 하지만 여전히 반론이 제기돼요. 고기 국물이 담긴 용기를 끓이면 '생명 공기', 다시 말해 공기 중에 있어서 죽은 것도 살려 낼 수 있는 신비한 유동체까지 죽어 버린다고 주장하는 사람도 있었거든요! 하지만 곧 사소하지만 역사적인 아이디어가 나와서 이 어리석은 주장은 힘을 잃게 되었어요.

이것이 바로
생명 공기입니다.
터무니없는
이야기예요!

살려 줘!
아아악!

파스퇴르는 평범한 유리 플라스크를 사용해서 실험을 했어요. 그 안에 고기 국물을 가득 넣고 팔팔 끓여서 혹시라도 그 안에 들어 있을 수 있는 미생물을 모두 죽였지요.

그런 다음 불에 달구어 플라스크의 목을 휘게 해 입구를 좁게 만들었어요. 그렇게 하면 공기는 자유롭게 들어갈 수 있지만 미생물은 그 안으로 들어가 위로 올라갈 수 없을 테니까요.

자연 발생의 가능성을 끝까지 주장하던 사람들이 슬그머니 숨어 버렸어요.

그랬더니 놀랍게도 아무것도 생기지 않았어요! 공기가 들어갔을 때도 자연 발생적으로는 아무것도 생기지 않은 거예요! 파스퇴르는 그렇게 마법적인 '생명력'은 존재하지 않는다는 사실을 증명했어요.

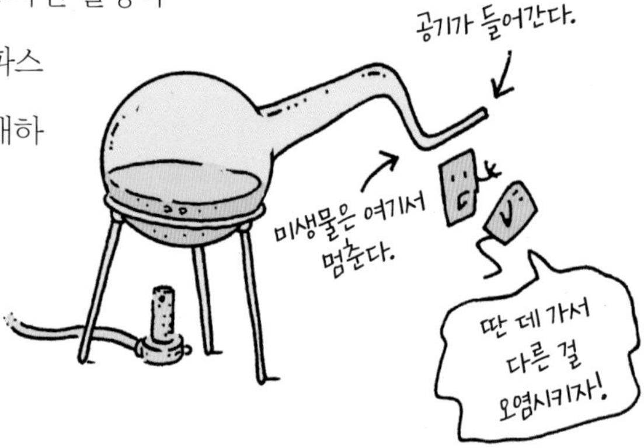
공기가 들어간다.
미생물은 여기서 멈춘다.
딴 데 가서 다른 걸 오염시키자!

이렇듯 파스퇴르는 영양분이 들어 있는 고기 국물에서 미생물이 증식하는 것은 자연 발생에 의한 것이라는 기존의 설을 확실하게 뒤집어 보였지요.

그렇다고 파스퇴르가 세균설을 맨 처음 주장한 것은 아니에요. 세균설은 이미 지롤라모 프라카스토로, 프리드리히 헨레 등에 의해서 주장되고 있었거든요. 여기서 파스퇴르가 한 것은 세균설(생물 속생설)의 올바름을 실험으로 명백하게 보여 주어 유럽 사람들을 납득시켰다는 거예요.

64 발효의 과학, 미생물

안녕, 루이!
응!?

파스퇴르는 더 놀라운 아이디어를 생각해 냈어요. 포도주 몇 방울을 현미경에 올려놓고 관찰하다가 포도주와 맥주가 발효될 때 어떤 일이 일어나는지 알아낸 거예요. 당분을 알코올로 변화시키는 진짜 책임자는 미생물 가족(효모), 다시 말해 살아 있는 생물이었답니다.

착한 미생물!

그것은 시작에 불과했어요. 나는 이 세상이 현미경으로만 보이는 미세한 생물로 가득 차 있다는 사실을 발견했답니다. 대부분은 치즈와 요구르트를 만드는 미생물처럼 우리에게 쓸모가 있지요. 수백만의 미생물들은 생활 환경에 도움이 되는 일을 해요. 물론 (다행히) 많지는 않지만 지나치게 공격적이어서 불쾌한 질병을 일으키는 미생물도 있지만요. 미생물은 이 지구상에서 가장 오래된 생물로, 지금 시대에도 여전히 살아 있어요.

이크!
나쁜 미생물

65 천연두를 박멸하다, 제너

우리를 왜 그렇게 보는 거예요, 제너 선생님?

나는 내가 의사로 일하는 지역, 즉, 글로스터셔에서 소젖 짜는 여자들을 유심히 관찰했습니다. 몸 여기저기에 천연두 자국이 남아 있던 런던의 아가씨들과 달리 피부가 아주 깨끗했지요. 천연두는 전염이 되는 치명적인 병이었어요. 나도 어릴 때 걸린 적이 있거든요. 병을 앓고 살아남은 사람에게는 얼굴과 몸에 평생 흔적이 남았지요.

나는 마침내 소젖을 짜는 여자들은 어릴 때부터 젖소와 접촉하면서 어떤 면역 물질이 전해져 천연두

약화 바이러스

에 걸리지 않는다는 사실을 발견했어요. 그래서 그 물질을 한 소년에게 접종해 보았지요. 소년의 몸에 면역력이 생겨서 강력한 천연두 바이러스를 접종했는데도 병에 걸리지 않지 뭐예요! 소년의 몸에 이미 면역 항체가 형성되어 있었던 거지요.

파스퇴르는 몇십 년 뒤, 이런 과정을 다른 전염병들로 확장해서 적용했어요. 바로 관경병과 탄저병, 닭콜레라의 백신을 만들어 낸 거예요.

백신이라고 부르게 됩니다!
음메에!
파스퇴르

점점 더 많은 사람들이 백신을 접종하게 되자, 세계 보건 기구는 천연두를 박멸된 질병으로 선포했어요.

66 통증을 잠재우다, 마취

마취가 발명되기 전까지 외과 의사들은 고통의 비명을 듣지 않으려고 환자들의 입을 틀어막았습니다. 1799년에 험프리 데이비는 이상한 성질의 기체를 발견하지요. 그 기체를 마시면 신기하게도 아무런 통증을 느끼지 않는 거예요.

하지만 이상한 부작용도 있었어요. 환자가 갑자기 배꼽을 잡고 웃지 뭐예요. 그 기체는 바로 아산화질소였지요. 미국의 치과 의사 호레이스 웰스는 이를 뽑을 때 그 기체를 이용했답니다. 하지만 외과 의사들은 웰스의 아이디어를 진지하게 받아들이지 않았어요.

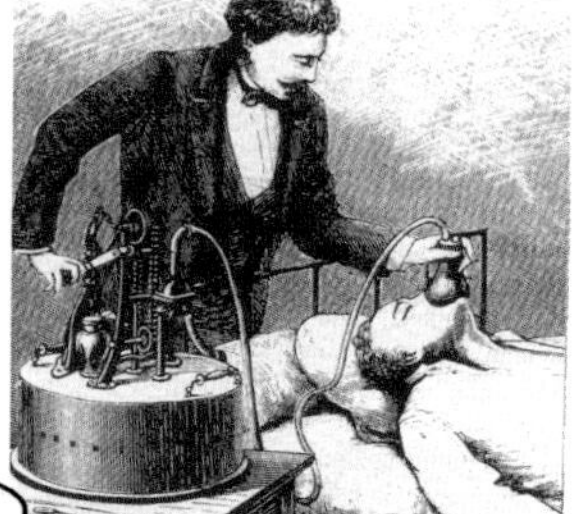

오히려 영국의 산부인과 의사 제임스 심슨 경에 의해 마취는 더욱더 널리 사용돼요. 심슨은 빅토리아 여왕이 출산을 할 때 통증을 줄이기 위해 클로로포름을 사용합니다. 이 뿌듯한 분만 이후 여왕들을 위해서뿐만 아니라 전 세계 병원에서도 마취가 널리 이용되지요.

우하하!
우하하!
우하하!
아산화질소?
좋습니다!
빅 아이디어!

67 무균법을 고안하다, 리스터

미생물 박멸!
쉬익!
악!
악!
쳇!

생각해 보면 아주 끔찍했지요. 외과 의사들은 지금 시대처럼 수술할 때 수술복을 갖춰 입지 않고 일상복을 입었어요. 이따금 중산모자를 쓰고 조끼를 입기도 했답니다. 정육점 주인이 걸치는 앞치마로 겨우 옷을 보호했지요. 결과가 좋은 경우라 해도 대부분의 수술은 환자가 사망할 가능성이 있었어요. 상처가 세균에 감염되어 패혈증으로 이어질 수 있었으니까요.

마취를 하게 되면서 꽤 심각한 비극이 벌어졌어요. 환자는 고통 없이 수술을 받을 수 있었고, 외과 의사들은 고통스러워 울부짖는 환자의 비명을 듣지 않고 절개할 수 있기는 했지요. 하지만 눈에 보이지 않는 살인자들이 있었답니다. 그들은 아주 조용히 움직였어요. 문제 없이 치료될 상처라도 그것들이 한두 개만 있으면 감염이 되었거든요.

그래서 나는 간단한 도구를 발명한 뒤 수술실에 페놀을 뿌렸답니다. 그 덕분에 내 환자들은 살아남은 반면, 동료들의 환자는 사망했어요. 원인은 더러운 손과 오염된 수술 도구, 미생물이 우글거리는 붕대였지요. 힘든 과정을 거치긴 했지만 결국 모두 내 방법을 신뢰하게 되었답니다. 바야흐로 무균법이 사용된 거예요! 수술 도구와 수술실을 살균해 무균 상태로 만드는 것을 무균법이라고 불러요. 지금은 병원에 가는 사람이 그 어느 때보다 안전합니다. 모두 나와 내 분사기 덕분이지요.

68 세균 감염을 막아서다, 제멜바이스

조금 더럽다는 게 무슨 말이죠?!

이그나스 제멜바이스의 경우처럼 번득이는 아이디어를 낸 사람이 미치광이 취급을 받을 때도 있답니다. 미생물이 발견되기 전에 제멜바이스는 자신이 근무하는 대학 병원에서 수많은 임산부들이 '산욕열'이라는 끔찍한 병으로 사망한다는 걸 알게 되었어요. 그나마 의과 대학생들이 드나들지

않는 다른 병원에서는 사망자 수가 훨씬 적었지요.

제멜바이스는 다양한 가설을 꾸준히 검토해 나가면서 오염이나 상한 음식 등 병을 일으킬 만한 요인들을 제거해 나갔어요. 그러다 마침내 단순하지만 특별한 가설에 도달했답니다. 산욕열은 의사와 의과 대학생들이 죽은 산모(사망자의 시체를 해부했어요.)와 접촉한 뒤, 병실에서 산모들을 진찰하면서 몸에서 몸으로 전염되었던 거예요. 이 치명적인 산욕열을 퇴치하기 위해서 그저 손을 씻기만 하면 되었지요.

하지만 제멜바이스의 동료들 가운데 그의 말을 진지하게 받아들인 사람은 거의 없었어요. 그뿐만이 아니에요. 안타깝게도 병원에서 해고를 당하고는 치유할 수 없는 우울증에 걸리고 말았답니다. 정신 병원에 입원한 뒤, 그곳에서 일하는 사람들에게 집요하게 손을 씻으라고 말했다가 구타를 당하고선 어이없게 숨을 거두고 말았어요.

손을 씻어요!
미쳤군!

69 세균학의 기초를 다지다, 코흐

별로 아름답지 않군!
코흐
그렇지만 보이기는 해!

우리끼리 하는 말이지만, 사실 내가 파스퇴르보다 미생물에 대해 더 많이 알지도 몰라요. 나는 미생물을 박테리아라고 불렀고, 결핵균을 퇴치했습니다. 내가 살던 시대에는 결핵으로 수백만 명이 죽어 나갔지요. 이 공로를 인정받아 노벨 의학상을 받았어요. 충분히 그 상을 탈 만했지요. 하지만 그보다 더 주목할 만한 나의 천재적인 아이디어는 미생물들을 구별한 것이랍니다. 그리고 합성 물질로 그것들에 색을 입혔어요.

착색제를 이용한 덕분에 보이지 않던 미생물을 두 눈으로 볼 수 있게 했어요! 코흐는 세균을 보존하고 배양할 방법을 찾아냈지요. 우뭇가사리를 끓여 만든 젤라틴에서 세균을 배양했답니다. 젤리나 케이크를 만들 때 사용하는 젤라틴이랑 똑같은 재료예요. 젤라틴 범벅의 맛있는 케이크를 만든 조수의 아내 파니 헤세가 우뭇가사리를 이용해 보자는 아이디어를 냈지요.

젤라틴이에요!
미생물에 쓸!

70 마법의 탄환을 제조하다, 파울 에를리히

이건 너무 낭비야!
폐기물
폐기물
폐기물
파울 에를리히

내 손이 항상 여러 가지 색깔로 얼룩덜룩했기 때문에 동료들은 나를 판타시우스라고 불렀답니다. 뭐, 딱히 이상할 것도 없어요. 나는 착색제를 생산하는 화학 공장에서 일했거든요. 어떤 것들은 정말이지 지긋지긋하게 지워지지 않더군요! 어쨌든 나는 미생물 연구에 몰두했고, 번득이는 아이디어로 폐기된 생산물 가운데 여러 물질 속에서 환자에게 피해를 주지 않고 미생물을 죽일 수 있는 성분이 있는지 찬찬히 찾아보았어요. 그리고 그것을 매독 환자에게 투여해 보았지요. 매독은 성관계를 통해 전염되는데, 치료법이 없어서 그때만 해도 죽음에 이르는 끔찍한 병이었답니다.

콜럼버스와 괴테, 니체, 고갱……. '르네상스의 에이즈, 매독'으로 죽은 사람들이에요. '고귀한 신분' 때문에 공개되지 않았을 뿐 매독에 걸린 교황과 각국의 군주도 무수히 많았지요. 매독으로 죽는 사망자가 급격히 줄어든 것은 20세기 이후예요. 이 모든 게 바로 내 덕분이랍니다.

600가지가 넘는 물질을 천여 명의 환자들에게 투여해 본 뒤, 에를리히는 가장 효과적인 물질을 찾아내요. 그것을 '606호 화합물'이라고 부른답니다! 이 발견으로 에를리히는 노벨상을 받았어요. 에를리히 이후 많은 연구자들이 비슷한 연구를 했고, 술폰아

606

미드 같은 유용한 물질을 발견하게 되지요.

노벨상을 수상하고 1년이 지난 후, 에를리히는 10년 간의 숙원을 풀게 되어요. 매독균만 공격하는 화합 물질을 배양해 낸 것이죠. 606번째 인공 합성 물질에서 치료제가 추출되어 '606'으로 불리는 매독 치료제 살바르산은 '부도덕에 대한 신의 징벌을 무효화한다'는 비난에도 불구하고 선풍적 인기를 끌었어요. 심지어 '마법의 탄환'이란 별명까지 붙었답니다.

과연 606은 완전 약품이었을까요? 그렇지는 않아요. 효과가 탁월하긴 했지만 수많은 부작용이 뒤따랐거든요. 매독균을 확실하게 잡았다는 페니실린(1946년에 일반화)도 부작용이 많기는 마찬가지예요. 요즘은 4세대 항생제를 견디는 병원균까지 나왔다고 해요. 그러고 보면 병균과 인간의 싸움은 끝이 없어요. 오늘도 인간은 돈을 싸 들고 '마법의 탄환'이라는 무지개를 좇고 있지요.

아니야!
아니야!
악!
끙끙
604
605

EUROPA
400
FØROYAR
SIR ALEXANDER FLEMING

71 페니실린을 만들다, 알렉산더 플레밍

세상의 어떤 일들은 우연이나 행운에 의해 일어난다고 생각할 수 있어요. 하지만 알렉산더 플레밍이 오랜 시간 연구를 하지 않았다면 아무것도 발견하지 못했을 거예요.

재채기 한 번으로 여러 가지 문제가 분명해졌어요. 나는 재채기를 통해 우리 침에 섞인 놀라운 성분을 발견했거든요. 침은

에, 에, 에……취
찍!
침이 미생물을 파괴하는 균!

어이쿠!
와! 이 곰팡이가 미생물을 죽이는군!

미생물을 죽이고 '외부의' 침입으로부터 우리 몸을 지켜 줘요. 침과 인간의 점액에 포함된 성분은 라이소자임이에요. 라이소자임은 세균 세포의 벽을 파괴해서 미생물로부터 우리를 안전하게 보호해 주지요. 그렇지 않다면 미생물이 입과 코로 마구 들어와 우리를 무지막지하게 공격할 거예요.

아, 참! 내 조수가 부주의해서 생긴 일 덕분에 수백만 명의 목숨을 구할 의약품을 발명하게 된답니다.

'페트리 접시'(젤라틴을 가득 담아 미생물들을 배양하고 보관해서 관찰하는 뚜껑이 달린 유리 접시 모양의 실험 도구) 하나가 바닥에 떨어져 뚜껑이 열렸어요. 플레밍의 조수는 그 사실을 말하지 않았지만, 접시에 곰팡이 포자가 들어가서 푸른곰팡이를 만들어 내고 있었어요. 신기하게도 주위의 다른 미생물은 다 죽어 버렸지요! 플레밍은 곰팡이 포자에서 생성된 물질을 살살 분리했어요. 그렇게 해서 페니실린이 만들어진답니다!

페니실린을 대량으로 생산할 수 있을 정도의 곰팡이를 한꺼번에 만들어 내기는 쉽지 않았어요. 하지만 제2차 세계 대전이 발발하자 생산에 있어서 절대적인 우선권을 갖게 되었지요. 그 후 가장 효과적인 곰팡이는 미국인 생물학자 메리 헌트가 슈퍼마켓에서 산 썩은 멜론에서 발견되었답니다.

세상에 빛을 안겨 준 아이디어

1879년 12월 31일 밤, 에디슨은 멘로파크에 있는
자신의 집이자 연구실의 문을 열었습니다.
이제 단순히 새해가 아니라 새로운 시대가 열릴 거예요.

여러분, 들어오세요!
미래를 보러 오세요!

72 전기 시대를 열다, 에디슨

특별한 밤이었어요. 아마 제 인생에서 가장 중요한 밤이었을지도 몰라요. 기쁘고 즐거운 밤도 많았지만 그날 밤은 그 어느 때보다 행복했지요. 나는 미래를 열기 시작했어요. 여러분 시대까지 사용되는 전구를 발명했을 뿐만 아니라 전구를 돌려서 끼우는 데 필요한 소켓, 스위치, 그리고 전력을 가정과 도시에 분배해 공급할 수 있는 장치를 모두 발명했거든요.

나는 미국에서 남북 전쟁이 일어나기 전에 오하이오의 작은 도시에서 태어났어요. 서부를 개척하던 개척자들의 마차 행렬이 인디언에게 공격을 받곤 하던 때였지요. 그 무렵에는 밤이 되면 불빛이 거의 없었답니다. 가스 램프나 고래 기름 램프로 겨우 어둠을 밝혔지요. 번개가 칠 때에나 전기가 발생했어요. 그래요, 우리 집은 전구로 불을 밝힌 세계 최초의 장소랍니다.

전등을 모두 다 켜기로 결심을 하고서 뉴욕 시민을 거의 모두 초대했어요. 그해의 마지막 밤이었지요. 사람들이 걷거나 말을 타고 구름처럼 모여들었답니다. 스위치를 한 번 누르기만 하면 전등이 환히 켜졌어요.

멘로 파크

멋져요!
훌륭해요!

전등, 축음기, 건전지 등 현재 지구상에 사는 사람치고 그의 영향을 받지 않고 사는 사람은 거의 없을 만큼 많은 것을 만들어 낸 토머스 에디슨. 그가 발명하고 개량한 것은 자그마치 2,332개, 그중 발명 특허를 갖고 있는 것만도 1,093개에 이르러요.

토머스 앨바 에디슨은 1847년에 미국 오하이오주 밀란시에서 새뮤얼 에디슨 2세와 낸시 엘리엇 에디슨의 일곱 자녀 중 막내로 태어났어요. 어린 시절에는 상상력이 풍부했고 호기심이 많았으나, 틀에 박힌 학교 교육에 적응하지 못하고 문제아 취급을 받았지요. 담임 선생님으로부터 지진아라는 말까지 들었다지요?

에디슨은 훗날 이렇게 회상했답니다.

"아버지는 나를 바보라고 믿었고, 나도 자신을 바보라고 믿었다."

에디슨의 어린 시절에 대해서는 웃지 못할 이야기도 많아요. 암탉의 알을 품어서 부화시키려 했다는 이야기, 헛간에 불을 놓아 전소시켰다는 이야기도 있지요. 아버지는 그를 문제아로 여겼지만, 어머니는 끝까지 믿어 주었다고 해요.

그녀는 아들을 학교에서 자퇴시키고 직접 교육하기로 마음먹고선 《로마 제국 흥망사》나 찰스 디킨스, 셰익스피어 등의 작품을 읽어 주었다지요? 여러 가지 과학 실험이 실려 있는 책을 가져다주었다고도 해요.

학력이라고는 초등학교 3개월밖에 안 된 그였지만, 천부적인 재능과 지칠 줄 모르는 노력으로 세상을 바꾸어 놓았어요. 에디슨은 자신의 발명을 기반으로 세계적인 기업의 모태가 되는 여러 가지 사업을 벌였답니다.

비록 학자적인 이론을 갖고 있지는 못했지만, 수많은 연구와 발명으로 미국을 응용 기술면에서 세계 최고의 국가로 만드는 데 기여했다는 점을 높이 평가받고 있어요. 에디슨이 발명한 것은 세계의 문화를 바꾸게 한 것들이 많아요. 전구의 발명이 대표적이에요. 인간의 조명 생활에 일대 혁신을 가져다준 것이라 할 수 있거든요.

발명에 필요한 게 뭐냐고?
약간의 상상력과
축적된 다양한 지식이다.
—토머스 에디슨

그다음에는 활동사진(영화)을 꼽을 수 있

답니다. 그 발명의 덕택으로 지금 우리는 영화를 즐기고 있지요.

아, 축음기도 빼놓을 수가 없어요. 1877년에 에디슨이 처음으로 만들었던 축음기는 오늘날의 것과는 그 모양이나 성능에서 많은 차이가 있어요. 에디슨이 만든 것은 납관(고형 밀랍 혹은 파라핀류)식 축음기라고 해서, 납관의 표면에 소리를 진동시켜서 재생하는 방식이거든요.

훗날 신문 기자들이 그에게 성공 요인이 무엇인지를 물었을 때 그는 이렇게 대답하며 유명한 말을 남기지요.

"천재란 1퍼센트의 영감과 99퍼센트의 노력으로 만들어집니다."

에디슨은 지칠 줄 모르는 탐구심으로 자신의 일에 확고한 자신감을 가졌던, 우리 시대를 환하게 밝혀 준 과학자라 할 수 있어요.

73 전화기 발명가, 메우치와 벨

여보세요, 벨이십니까?
아니요, 메우치입니다!

2002년 6월 11일, 미국 의회는 안토니오 메우치를 최초의 전화 발명자로 공표했어요. 메우치는 1850년 5월에 뉴욕으로 이민을 온 이탈리아 발명가랍니다. 인류가 가장 많이 사용한 발명품의 발명가가 누구인지 오랫동안 논란이 되었지요.

아니, 대부분은 스코틀랜드 출신의 천재적인 발명가, 그레이엄 알렉산더 벨이 발명했다고 믿었답니다. 벨이 먼저 전화기 특허를 신청했거든요. 메우치의 발명품과 아주 유사하지만, 메우치의 것보다 나중에 발명되었는데도요. 그런데 정작 메우치

최초 전화기의 손자는
선 없이 가지고 다닐 수 있는 휴대폰이에요.
최초의 휴대폰은 1983년에 첫선을 보였어요.
조그만 서류 가방 크기였고,
무게는 2킬로그램가량이었지요.

나는 만족합니다!
알렉산더 그레이엄 벨

는 자기 발명품의 발명 특허 보호 신청서를 갱신하지 않은 상태였죠.

두 사람 모두 아내와 연락을 주고받기 위해 전화기를 발명했다고 해요. 메우치가 지하실에서 발명에 몰두할 때, 아내는 병에 걸려 위층 침대에 누워 있어야 했거든요.

벨의 경우도 비슷해요. 태어날 때부터 농아였던 아내와 좀 더 소통을 잘할 수 있는 방법을 찾다가 전화기를 발명한 거라고 하니까요. 나중에 전화기에 관한 아이디어를 최대한 이용해서 세계적인 거대 통신 회사(AT&T)를 만든 사람은 바로 벨이에요.

74 자기장을 발견하다, 니콜라 테슬라

풍성하고 검은 콧수염에 마르고 신경질적인 분위기, 거의 2미터에 이르는 키……. 마흔 살 무렵의 니콜라는 그런 모습이었어요. 사진 찍히는 걸 유독 싫어해서 남아 있는 것이 거의 없지만, 한 사진에서 전선 없이 불을 켤 수 있는 형광등을 손에 들고 있는 모습을 볼 수 있지요. 테슬라는 선 없이 신호뿐 아니라(음향 신호) 에너지도 멀리 전달할 수 있다는 걸 최초로 증명했습니다.

유도 전동기(승강기에서 자동차 시동 장치까지, 모든 것을 움직이는)를 비롯하여 오늘날 전 세계에서 사용하는 교류 전류까지, 그의 천재적인 아이디어는 셀 수 없이 많아요. 그리고 무엇보다 인류의 미래에 특별한 영향을 미칠 수 있는 사실을 발견했어요.

전기 에너지가 지구를 통해, 그리고 지표면에서부터 대략 80킬로미터 정도의 전리층까지 지구 주위의 공간으로 전파될 수 있다는 걸 알아냈거든요!

75 안테나로 전파를 송신하다

니콜라 테슬라는 전기 생산과 배분의 천재적인 선구자에 그치지 않는답니다. 아마 그 이상의 인물일 거예요.

- 1856년, 번개와 폭풍우가 심하게 몰아치던 날 밤, 크로아티아 스밀랸에서 태어남.
- 1884년에 미국으로 이민.
- 에디슨의 조수, 웨스팅하우스의 협력자. 나이아가라 폭포 발전소 설계자.
- 특별한 신체적 특징은 키가 아주 크고 매우 마름.
- 편집적인 습관들(손을 계속 씻고 사람을 피하며 사람이 많은 장소에 가지 않는 등)이 있음.
- 호텔 방에서 살았고, 고정 주거지가 없을 때가 많음.
- 전선이 전혀 필요 없이 네온 등에 불을 켤 수 있음.
- 지구 자체가 무서운 무기에 쓰일 에너지, 혹은 최선의 경우 모두가 무상으로 사용할 수 있는 전기 에너지를 제공할 수 있다는 위험한 아이디어를 주장함.

(출처 : 미국 중앙 정보국 팩시밀리 자료 보관소)

지지직
지지직!

니콜라 테슬러의 주장

우리가 사는 도시 어느 곳, 또는 지구의 가장 외딴 구석에 땅을 파고 수신기를 집어넣어 전기 에너지를 무한히 끌어낼 수 있다고 해요. 테슬라는 이런 에너지를 '무선'으로 송신하고 수신하는 게 가능하며, 이 에너지가 그 예를 찾을 수 없는 강력한 힘을 가질

극비 사항

테슬라 탑(워든클라이프 탑)은 한 번도 작동하지 않았다.

수 있다는 걸 여러 차례 증명했어요. 하지만 그의 연구는 갑자기 중단되고 말았답니다. 어떤 연구는 곧 극비 사항이 되어 버려서요.

세계는 항상 해 오던 식으로 계속 전기 에너지를 생산하고 소비하게 될 거예요. 테슬라는 노벨상을 받을 만한 자격이 충분했지만 아직까지 상을 받지 못했지요. 뿐만 아니라 특허권을 지키기 위한 소송들을 하느라 빈털터리가 되고 말았답니다. 불안정한 정신 상태와 이상한 강박 관념은 나이가 들수록 점점 더 악화되었어요.

그래서 모두에게 까맣게 잊힌 채 미국과 유럽, 일본이 가장 격렬하게 전쟁을 치르던 1943년 1월 7일, 뉴욕의 한 호텔에서 쓸쓸히 숨을 거두었답니다. 가장 비밀스러운 그의 메모들은 불가사의하게도 사라져 버렸고, 나머지는 원인을 알 수 없는 화재로 불타 버렸지요. 그래서 어쩌면 가장 놀라울 수 있는 천재적인 아이디어는 끝끝내 세상에 알려지지 않았는지도 몰라요. 아, 자기장의 국제 단위인 테슬라는 그의 이름에서 딴 거예요.

안테나로 전파를 송신하다

1899년에 니콜라 테슬라는 콜로라도 스프링스에서 높이가 수십 미터에 달하며, 끝부분에 공 모양의 철제 공이 달린 안테나를 제작했어요. 테슬라는 이 안테나로 멀리까지 '전파'를 송신하고 싶어 했지요.

> 어떤 아이디어의 실제 성공은
> 그 아이디어의 우수함과는 별개로
> 동시대 사람들의 선택에 달려 있다.
> 시대의 흐름에 따르면 금방 선택된다.
> 반대의 경우, 때가 되기 전에
> 싹을 틔운 새싹 같은 운명에 처한다.
> —니콜라 테슬라

증인들의 주장에 따르면 전선을 연결하지 않았는데도 40킬로미터나 떨어진 거리에서 이백여 개의 전등에 불이 켜지는 것을 목격했다고 해요. 그리고 더욱 이상한 광경이 눈앞에서 펼쳐졌는데요. 철제 공에서 번개가 나와서 서서히 전기 공이 만들어지더니,

거기서 다시 수십 미터 길이의 인공 번개가 발생했다는 거예요. 대기는 천둥소리로 뒤흔들렸고, 풀들은 형광 빛으로 번득였지요! 오랜 세월이 흐른 뒤, 니콜라 테슬라는 최초의 무선 송신에 성공한 공적을 인정받게 돼요.

우르르 쾅!
쾅!
우르르 쾅!
쾅!
무슨 일이지?
테슬라가 무선 전파를 발명하는 중이야!

76 전자기파를 증명하다, 헤르츠

윙윙!
윙윙!
윙윙!
여보세요, 헤르츠 교수님이신가요?
왜 말씀을 하지 않으세요?

관심 없습니다!

내 이름은 하인리히 루돌프 헤르츠입니다. 1857년에 독일 함부르크에서 태어났어요. 라디오, 텔레비전, 스마트폰, 내가 없었다면 여러분 시대의 모든 와이어리스(무선) 통신이 존재하지 않았겠지요. 실제로 나는 단순한 장치를 제작해서 공중으로 전파할 전기 신호를 만들었답니다. 눈에 보이지 않는 전자기파였어요. 별에서 대량으로 생산되어 공중에 떠돌아다닐 수 있었지만 아무도 전자기파의 존재를 상상하지 못했지요. 그와 마찬가지로 파장이 긴 것, 짧은 것, 아주 짧은 것 등으로 다양하게 만들어 낼 수 있으리라는 것도 생각하지 못했어요. 그래서 오랫동안 전자기파에 내 이름을 붙여서 '헤르츠파'라고 불렀답니다. 나는 전자기파를 검출하는 장치를 발명했지만 전자기파 사용에 대한 아이디어가 없었지요. 흥미도 없었고요. 어쨌든 한 가지 사실만은 확실해요. 내가 다른 수백만의 번득이는 아이디어들을 탄생시킬 천재적인 아이디어를 냈다는 사실 말이지요.

우리가 일상생활에서 자주 쓰는 주파수의 단위 '헤르츠'는 바로 루돌프 헤르츠의 이름에서 따온 거예요. 헤르츠는 라디오파를 만들어 내는 장치를 만들어 전자기파의 존재를 맨 처음 실증해 보였어요.

77 무선 통신의 기초를 세우다, 마르코니

됐다!

내가 어렸을 때 볼로냐 근방에 있는 우리 집에서 최초의 무선 메시지를 보냈답니다. 그리고 전파가 흐르는 것을 검사해서 알아내는 코히러(검파기)라는 간단한 장치를 사용해서 그 메시지를 받았지요. 코히러는 속이 빈 가느다란 유리관으로 그 안에 금속 가루가 들어 있어요. 코히러를 발명한 사람은 나와 같은 이탈리아 인인 테미스토클레 칼제키 오네스티입니다. 하지만 프랑스인 에두아르 브랑리가 발명했다고 생각하는 사람도 많지요.

할 수 있어!

과학은 의사 소통을 구현하는 예술이다.
또, 서로의 생각을 송수신하는 무대이기도 하다.
—굴리엘모 마르코니

전기 회로에 코히러를 삽입하면 단속기처럼 작동해요. 전자기파가 전해지면 금속 가루가 모여서 전도체가 되지요. 그렇게 회로가 닫히고 전구에 불이 켜지거나 종이 울려요. 마르코니는 최초의 신호를 언덕 너머까지 보냈고, 거기서 그의 농지관리인이 권총을 쏘아 신호가 도착했다는 것을 확인했습니다.

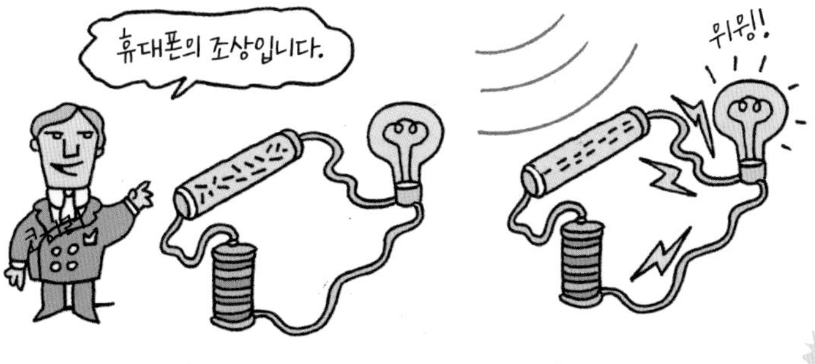

휴대폰의 조상입니다.
위잉!

배 위에서 전보 보내기

마르코니, 도와줘요!
TITANIC

나는 내 송수신기를 개량한 뒤 런던에서 특허를 받았습니다. 그리고 런던에서 삼촌들과 함께 전신 회사를 설립했지요. 그렇다고 육지에서 다른 전신 회사들과 경쟁하지는 않았어요. 대신에 배에 무선 전신기를 설치하자는 제안을 했지요. 그러면 어떤 배가 어떤 물건을 싣고 도착하는지를 주식 중개인과 항만 관리 사무소와 신문에 알릴 수 있으니까요. 무엇보다도 위급한 상황이 생겼을 때 구조 신호를 보내 생명을 구할 수가 있지요! 실제로 타이타닉호에 설치된 나의 무선 전신기로 천 명이 넘는 승객들을 구해 냈답니다. 무선 전신기가 없었다면 제때 구조를 하러 달려가지 못했을지도 몰라요.

뜻밖의 행운

나는 안테나를 아주 높게 세운 다음, 심연을 이용해 점점 더 멀리로 메시지를 송신하려고 했어요. 그러다가 전자기파가 반사된다는 뜻밖의 발견을 하게 되었지요. 전자기파는 높은 대기층에 도착하면 땅 쪽으로 반사되고 땅에서는 하늘로 반사돼요. 그러니까 나의 전자기파가 전 세계로 전파될 수 있는 거예요!

똑똑하게 잘 들립니다!
내 말 들립니까?

이렇게 굴리엘모 마르코니는 헤르츠의 전자기파 이론에 근거하여 현대 장거리 무선 통신의 기초를 이루었어요. 지주의 아들로 태어나, 볼로냐와 피렌체에서 교육을 받았지요. 더 자란 후에는 리보르노의 기술 학교에 들어가 물리학을 공부했는데, 거기서 전자기파 기술을 연구했답니다.

1895년에 마르코니는 볼로냐 근처에 있는 아버지의 간단한 도구로 헤르츠의 전자기파 이론에 기초하여 실험을 했어요. 전압을 높이는 유도 코일과 불꽃 방전기와 수신기가 달린 코히러가 부착된 기구로 말이죠. 짧은 거리에서 예비 실험을 한 후, 코히러를 개량하고 안테나를 사용해 신호 전달의 범위를 증가시키는 방법을 알아냈답니다.

이러한 실험을 거듭한 끝에 무선 전신 장치를 발명하고, 이듬해 영국으로 가서 특허를 얻었지요. 또, 영국 해군 대연습에서 약 120킬로미터 거리 사이의 통신에 성공하고, 1899년에는 그의 무선 통신기가 영국에서 등대선 조난 구제에 처음으로 쓰였답니다.

1901년에 대서양을 사이에 두고 함선에서 무선 통신을 해서 실용화되었어요. 1907년에는 유럽과 미국 사이의 공공 통신 사업이 시작되었고요. 1909년에는 독일의 카를 페르디난트 브라운과 함께 노벨 물리학상을 공동 수상했지요.

78 라디오의 탄생, 열전자관

1904년에 마르코니의 협력자인 영국인 존 앰브로즈 플레밍이 발명한 이상한 전구 덕분에 우리가 생각하는 것과 같은 라디오가 탄생했어요. 그 전구는 전파의 주파수를 '조절'할 수 있는 진공관이에요.

실제로 진공관은 라디오를 통해 말과 음악을 송신하고 수신할 수 있게 해 주었어요. 플레밍 교수의 번득이는 아이디어와 마르코니의 직관으로 인해 불과 수십 년 만에 라디오는 전 세계에서 가장 많이 사용되는 통신 수단이 되었답니다.

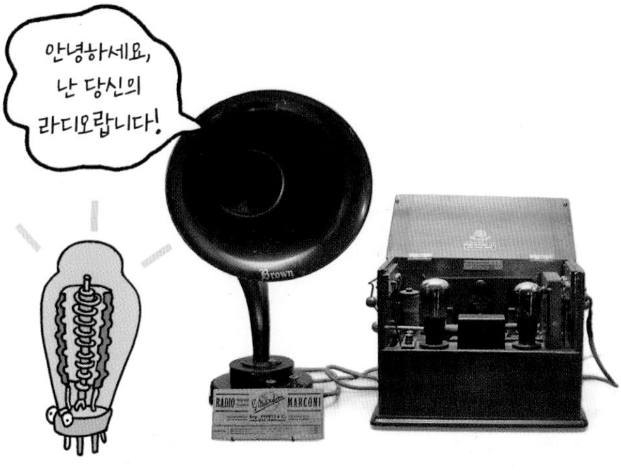
안녕하세요,
난 당신의
라디오랍니다!
Brown
RADIO
MARCONI

빛처럼 빠르고 정확하고 눈부시게!

활동사진 주위에서 많은 사람들이 일하고 있어요.
그리고 1895년 12월 28일,
파리에서 두 형제가 그랑 카페 지하의 문을 엽니다.
그들의 아이디어는 진정 끝내주는 것이었지요.

번득이는 아이디어는 모두 다 아는 사실 가운데 있었어!

79 영화의 선구자, 뤼미에르 형제

누가 상상이나 했겠나, 루이. 우리가 일곱 번째 예술을 발명했다네. 기차가 도착하는 장면을 화면에 비췄을 때 마법 같은 일이 벌어져서, 그 자리에 있던 몇몇 사람이 화면에서 앞으로 달려 나오는 기관차를 피하려고 의자에서 일어났을 정도였다네. 사실 우리는 사진에 대한 열정과 사진 건판 제작 경험, 그리고 여러 발명가들의 아이디어를 한데 모은 것뿐이야. 그리고 미국에서 에디슨이 이미 영화관이 전부 들어간 듯한 기계를 제작했어.
말하자면 필름을 움직이는 장치, 작은 전구, 전동기, 재충전할 수 있는 건전지, 연속적으로 촬영된 사진이 담긴 필름이 들어 있었던 셈이지. 동전을 하나 집어 넣으면 짧은 영화 한 편을 볼 수 있다네. 하지만 아쉽게도 한 번에 한 명밖에 볼 수가 없어. 우리 형제는 돈을 내고 입장하는 수많은 관객들 앞에서 큰 화면에 영사를 하는 기계를 만들었지! 우리 뤼미에르 형제 이전에는 아무도 해 본 적 없는 일이라네.

우리는 사진사의 아들로 태어나
사진사가 되었지만
영화는 우리가 발명했다.
—오귀스트 마리 루이 니콜라 뤼미에르,
루이 장 뤼미에르

음, 환상적이야, 갖고 싶어!

이것이 에디슨이 발명한 키네토스코프입니다. 뤼미에르 형제의 아버지도 한 대를 구입했어요. 동전을 넣으면 춤을 추는 발레리나와 권투 시합, 키스 장면 등을 볼 수 있지요.

뤼미에르 형제는 하나의 카메라로 초당 16토막의 속도로 촬영과 영사를 동시에 할 수 있는 장비를 개발해 영화의 선구자로 꼽혀요. 이들의 초창기 영화들은 프랑스의 일상생활을 묘사한 것으로, 예를 들면 기차의 도착, 카드놀이, 일하는 대장장이, 엄마가 아기에게 젖 먹이는 모습, 군인들의 행군, 번화한 거리 등의 움직임을 담았어요.

사진 작가의 아들이었던 두 소년은 아버지가 정착한 리옹에서 학창 시절부터 과학 과목에 두각을 나타냈다고 해요. 루이는 수익 높은 필름의 개발을 연구하다 18세 때 연구 성과를 보자, 아버지로부터 재정적인 도움을 받아 사진 건판 생산 공장을 세우고 큰 성공을 거두었지요. 이때의 성공으로 1894년경에는 연간 약 1,500만 개의 사진판을 생산할 정도로 그 규모가 어마어마해졌답니다. 아버지가 에디슨의 활동사진에 대해 설명하는 것을 듣고서 영사기를 발명하게 되었다나요?

80 최초의 사진 발명가, 니에프스와 다게르

뤼미에르 형제의 역사적인 영사는 최초로 사진이 인화된 후 거의 칠십년 뒤의 일이었어요. 조제프 니세포르 니에프스가 번득이는 천재적인 아이디어를 냈지요. 1826년에 라벤더 기름에 아스팔트를 녹여 바른 판으로 최초의 사진을 촬영했거든요. 판에 '감광하기' 위해서 여덟 시간 동안 햇빛에 노출해야 했답니다.

그런데 니에프스와 공동 연구를 했던 루이 자크 망데 다게르가 도입한 방법이 훨씬 더 빠르다는 게 밝혀졌어요. 다게르는 빛에 민감한 요오드화은을 얇게 바른 구리판을 사용했는데요. 그 때문에 수십 년 동안 사진술은 '다게레오타이프'라고 불리게 돼요.

그러다가 전 세계의 발명가들이 더 간단하고 빠른 방법과 재료를 찾아냈답니다. 하지만 아직 한참 동안은 사진을 찍기 위해 작은 화학 실험실로 가야 했지요!

맙소사!
사람 살려!

찰칵! 찰칵! 찰칵! 찰칵!

왼쪽은 역사상 최초의 영화 촬영기예요. 에티엔 쥘 마레가 나는 새들과 달리는 동물들의 사진을 찍어 그 동작을 연구하기 위해 촬영기를 사용하고 있어요. 뤼미에르 형제가 성공을 거두자 에디슨은 적지 않게 화를 냈지만, 영화사를 설립하며 스스로 위안을 얻었다고 해요. 그 영화사는 미국 최초의 영화사 가운데 하나랍니다.

으으윽!

81 셀룰로이드를 개발하다, 하이엇

미국 인쇄업자 존 웨슬리 하이엇의 번득이는 아이디어가 없었다면 코끼리는 오래전에 멸종했을 거예요. 영화 산업은 탄생조차 하지 못했을 것이며, 수많은 물건이 이 세상에 존재하지 않

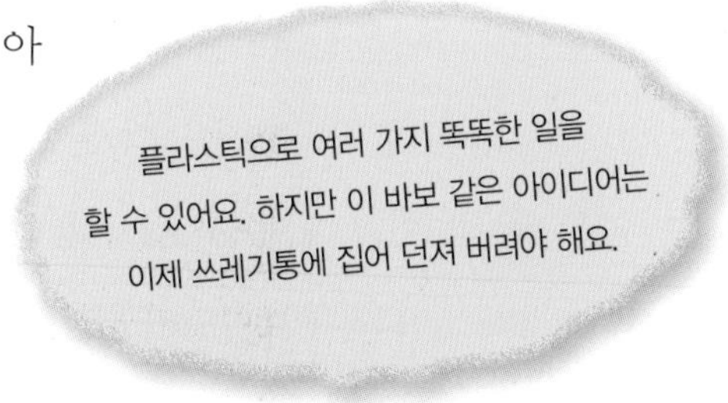
플라스틱으로 여러 가지 똑똑한 일을
할 수 있어요. 하지만 이 바보 같은 아이디어는
이제 쓰레기통에 집어 던져 버려야 해요.

았겠지요. 하이엇은 역사상 최초로 플라스틱이라는 재료를 생산했어요.

빨리 달려, 하이엇!

그렇습니다. 내가 여러분 시대에 가장 많이 사용하는 재료를 발명했어요. 플라스틱이 사라지면 휴대폰도, 의자도, 신발도, 속옷도 사용하지 못할 거예요. 물론 속옷을 플라스틱으로 만드는 건 아니지만 속옷에 화학 섬유, 즉 플라스틱 성분이 포함되어 있는 경우가 많으니까요.

당구대를 제작하는 공장에서 상아를 대체할 물질을 찾아내는 사람에게 1만 달러라는 거액을 상금으로 주겠다고 제안했을 때, 바로 나의 천재적인 아이디어가 탄생했답니다. 그 당시에는 당구공을 상아로 만들었어요. 상아는 아주 귀해서 값이 점점 더 올랐지요. 해마다 천여 마리의 코끼리가 당구 게임을 위해 희생되었답니다.

나는 파크스라는 영국 교수가 '파크신'을 개발했다는 이야기를 들었어요. 그런데 '파크신'은 셔츠 깃에만 사용되었지요. 나는 연구를 거듭한 끝에 그와 유사한 물질을 생산해 냈답니다. 그 물질에 셀룰로오스가 포함되어 있어서 셀룰로이드라는 이름을 붙였지요.

나는 상금을 받았으며, 코끼리들을 멸종 위기에서 구해 냈어요. 간단히 말해 훌륭한 행동을 한 것이지요. 특히 셀룰로오스는 모든 식물에 들어 있어서 자연적으로 생산이 가능해요. 원료는 앞으로도 절대 부족하지 않을 거예요.

하이엇
가짜 상아죠?
그럼요!

셀룰로오스는 '중합체', 그러니까 '단위체'라는 작고 동일한 수많은 분자로 길게 연결된 화합물이에요. 누군가가 석유에서 추출한 단위체를 이용해서 중합체를 만드는 방법을 발견했어요. 석유에서 성질과 용도가 다양한 플라스틱 물질이 끝도 없이 탄생하게 되었지요. 안타깝게도 시간이 흐르면서 지나치게 많은 소비와 그것을 분해하는 문제가 한꺼

우리가 제1세대
플라스틱이야!

번에 발생했답니다. 모두 인간의 어리석음과 이기심에서 비롯된 문제들이지요.

82 텔레비전 창시자, 베어드

TV에 제일 먼저 출연하실 분?
드르륵
드르륵
윙윙
반짝!
이크!
난 할 일이 많아서!

이제 세상에는 전화와 라디오, 영화가 있어요. 활동사진을 멀리까지 전송하는, 정확히 말하면 텔레비전만 아직 없었지요. 많은 사람들이 시도를 거듭했는데, 1926년에 최초로 텔레비전을 선보인 사람은 스코틀랜드 출신의 존 로지 베어드였어요.

완전히 내 아이디어라고 말할 수는 없지만 구멍이 뚫린 원판과 광전지, 그리고 약간의 전자 장치를 함께 사용한 것은 완전히 나의 번득이는 아이디어였어요. 내가 만든 텔레비전은 이후에 만들어진 텔레비전보다는 전축에 가까웠지요. 브라운관조차 사용하지 않았거든요.
그렇기는 해도 런던 소호에 있는 나의 실험실을 방문한 영국 왕립 과학 연구소의 위원들은 깜짝 놀랐어요. 그들은 옆방에서 전송되는 사람의 모습을 처음으로 보았으니까요. 그 사람은 내 연구실에 들른 심부름꾼이었는데, 순식간에 나타났다가 사라졌지요. 그의 이름은 윌리엄 테인턴이었어요. 아주 우연이기는 해도 테인턴은 본의 아니게 텔레비전에 출연하게 된 셈이에요.

내부
나는 모든 텔레비전 수상기의 조상입니다.
세상에, 내가 누군지 모른다는 겁니까?
외부

베어드의 전기 기계 시스템은 곧 텔레비전 카메라와 텔레비전 수상기 때문에 사용되지 않게 되어요. 최초의 텔레비전 프로그램은 1936년에 올림픽이 열리던 베를린에서 방송되었지요. 시청자들이 사용할 최초의 텔레비전 수상기는—앞쪽의 그림과 같은—조립 용품 세트로 판매되었답니다. 가격이 매우 비싸서 오늘날의 중형 자동차 한 대 값과 맞먹을 정도였다고 해요.

83 비행기를 만들다, 라이트 형제

PALAU
$2.00
From the Wright Brothers to the Present

현대 시대에서는 아주 간단합니다. 여러분이 비행기를 타면 잠시 후 8,000미터 이상의 상공을 날게 되지요. 하지만 불과 백십여 년 전만 해도 이런 일은 공상 과학에나 나오는 가설일 뿐이었어요. 사람들은 열기구 풍선을 타고 날았는데, 이 열기구는 조종도 가능했답니다. 공기보다 훨씬 가벼운 기체를 가득 채운 풍선 덕이었지요. 배처럼 무거운 금속 비행기를 땅에서 띄운다는 것은 미친 생각에 불과했고요. 뿐만 아니라 여러 차례 목숨을 잃을 정도로 위험한 경험도 했어요. 나와 형 윌버는 집 뒤 창고에서 자전거나 만들던 기술자에 불과했으니까요.

하지만 우리는 정말 뛰어난 기술자였답니다. 자전거의 역전(逆轉) 브레이크를 발명하기도 한걸요. 아마 여러분 자전거에도 장착되어 있을 거예요. 어쨌든 우리는 비행에 대한 흔들리지 않는 신념이 있었어요. 모두가 자전거를 탈 수 있듯이, 모두가 날 수 있을 거라는 확신이에요.

아니야!
그런데 날잖아!
윌버!
번득이는 아이디어가 확실해?

나는 거대한 컨스텔레이션(록히드 L-049)을 타고 마지막 비행을 했다. 컨스텔레이션의 날개폭은 내가 첫 비행을 했던 거리보다 더 길었다.

—오빌 라이트

라이트 형제가 출발점으로 삼은 생각은 비행기가 계속 감지할 수 없게 몸의 자세를 바꾸며 운전하는 자전거처럼 조종되어야 한다는 거였죠. 첫 비행기에서 조종사는 완전히 엎드려서 글라이더와 하나가 되었어요.

무게가 얼마인가요?
45톤입니다!
그런데 난다고요?

실제로 초기 비행기들은 두 개의 날개에 손잡이와 날개를 움직일 몇 개의 조종 장치가 달린 큰 연이었답니다. 그러니까 항공의 역사는 날아다니는 자전거와 더불어 시작되었어요.

우리의 비행기가 유조선만큼 무겁다면 어떻게 날게 할 수 있을까요? 라이트 형제는 계속적인 번득이는 아이디어들로 문제를 하나씩 풀어 나가요.

압력이 우리를 날게 해 줘!
중력
휴, 천만 다행이야!
양력

특히 공중으로 나는 문제를 해결했지요. 비행기는 그것을 지탱하는 주변 압력이 비행기 무게보다 더 높기 때문에 날아갈 수 있는 거예요.

여러분이 나는 법을 배우게 되면
하늘을 바라보며 걸어가야 한다.
여러분이 있었던 곳이 바로 그 하늘이고
돌아가려는 곳도 그곳이니까.
—레오나르도 다빈치

이 압력을 '양력'이라 부르는데요. 비행 속도, 비행기의 기울기, 날개의 적절한 형태에 좌우되어요. 날개에서의 '양력'은 날개 아래쪽과 위쪽의 압력의 차이에서 생겨나요. 이 차이 덕분에 우리의 비행기는 아래쪽 공기에 의해 지탱이 되어, 그렇게 무거운데도 밑으로 추락하지 않는 거예요.

84 로켓 발명가, 베르너 폰 브라운

슝~
베르너!
쾅!

안녕, 얘들아!

나의 로켓은 하늘을 나는 데 공기가 필요하지 않아요. 뿐만 아니라 공기가 없는 곳에서도 잘 날아가지요.

나는 베르너 폰 브라운이에요. 어릴 때부터 번득이는 아이디어를 가지고 있었어요. 나는 로켓으로 멀리 떨어진 행성에 여행을 갈 것이라고 굳게 믿었지요. 폭죽으로 집을 거의 다 태우기도 했고요.

그러다 어른이 된 뒤, 제2차 세계 대전 중에 무시무시한 로켓 V2들을 개발했어요. 그 로켓들은 런던을 폭격하는 데 사용되었지요. 그러다가 전쟁이 끝나 갈 무렵 자유의 몸이 되었답니다.

미국의 미국 항공 우주국(NASA)에서 일했습니다. 내 친구 월트 디즈니를 위해서도 일했어요. 디즈니랜드의 미래 부분을 설계해 준 거예요. 제일 큰 성공은 최초의 인공위성 익스플로러 1호를 발사한 겁니다. 그 후 동료들과 함께 연구를 계속해서 인간을 달에 보냈어요. 여러분이 화성에 발을 디딘다면 나에게, 그리고 어린 시절 나의 상상력에 감사해야 할 겁니다.

안녕하세요,
폰 브라운 씨!

전자 기기, 혁신의 바람을 몰고 오다

계산하는 기계를 비롯해 여러 가지 일을 하는 장치들이 있어요.
그렇다면 학습을 하거나 문제를 해결하는 기계를 만들 수 있을까요?
대답은 만들 수 있다, 입니다.

내가 컴퓨터를
발명했습니다!

85 최초의 컴퓨터 설계자, 찰스 배비지

어느 날, 정치인들이 내게
부정확한 자료를 삽입해도 컴퓨터가
정확한 답을 해 줄 수 있느냐고 물었다.
노 코멘트!

—찰스 배비지

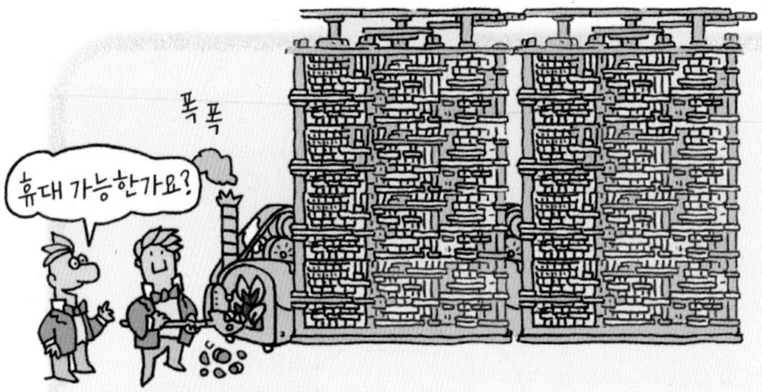
폭폭
휴대 가능한가요?

경마에서 누가 이길지
예측하는 데도 사용할 수 있을걸요.
우아!

나는 영국 런던에서 태어났고, 1814년에 케임브리지 대학을 졸업했어요. 천재적인 아이디어로 최초의 컴퓨터를 설계했답니다. 사실 컴퓨터를 완전히 제작하지는 못했어요. 끝까지 완성했다면 넓이 30미터에 깊이 10미터의 거대한 기기로, 기관차처럼 증기로 작동되었을 거예요. 역사상 최초로 프로그래밍이 가능한 계산기가 되었겠지요.

한쪽에서 천공 카드로 명령을 삽입하고 다른 쪽에 데이터를 삽입하면 세 번째 부분에서 결과가 나와요. 수학 계산뿐 아니라 다른 목적으로도 사용할 수 있으리라고 제일 먼저 생각한 사람은 시인 바이런 경의 딸이자 내 친구인 에이다 러브레이스였어요.

영국의 수학자 찰스 배비지는 컴퓨터를 처음으로 구상했어요. 그는 '해석 기관'이라는 계산기 개발에 몰두했는데, 이것이 바로 디지털 컴퓨터의 시초로 여겨진답니다.

1812년, 케임브리지 대학에 다니던 배비지는 인간보다 정교하고 빠르게 계산할 수 있는 기계를 연구했어요. 그 당시의 세계는 산업 혁명을 맞아 빠르게 변화하면서, 훨씬 더 복잡한 사회로 치닫고 있었지요. 이 과정에서 인간의 수학적 계산 오류는 성장하는 산업에 치명적인 문제가 되었답니다. 그는 남은 생을 계산 장치를 개발하는 데 열중했으나, 불행히도 완성하지는 못했어요. 정부에서 재정 지원을 받지 못했거든요.

그럼에도 불구하고, 배비지의 미완성 해석 기관은 데이터를 저장하고 처리할 수 있는 디지털 컴퓨터의 선조로 여겨지고 있어요. 그 당시 배비지의 기계는 펀치 카드를 이용해 데이터를 저장했으며, 계산값을 인쇄하도록 설계되어 있었지요.

비록 배비지가 살아 있는 동안에는 해석 기관이 완성되지 못했지만, 그의 아들 헨리 프로보스트 배비지는 아버지가 그려 놓은 도면에서 기계의 중앙 처리 장치에 해당하는 '제조소' 부분을 만들었으며, 1888년에는 그 디자인을 받아들이기 위해 원주율 π의 배수를 계산했답니다. 이는 최초로 '현대' 컴퓨터의 부품을 성공적으로 검증한 것으로 평가받고 있어요.

86 컴퓨터 공학의 문을 열다, 허먼 홀러리스

나는 1860년에 미국의 나이아가라 폭포에서 그리 멀리 떨어지지 않은 버펄로에서 태어났어요. 독일 이민 가정의 아들이었지요. 공학을 공부한 뒤 학생들을 가르쳤는데, 워싱턴으로 가는 기차에서 승무원 찰칵! 소리를 내며 내 승차권에 구멍을 뚫는 것을 보고 번득이는 아이디어를 생각해 냈답니다.

사실 나는 1890년에 미국의 인구 조사 자료를 정리하는 프로젝트 공모에 지원하려 했었지요. 구멍이 뚫린 승차권을 보는 순간, 천공 카드와 구멍들을 계산할 수 있는 기계를 사용해야겠다는 아이디어가 퍼뜩 떠올랐거든요. 구멍마다 혹은 구멍이 뚫리지 않은 부분 하나하나가 '남성 혹은 여성', '결혼 혹은 미혼' '학생 혹은 직장인' 등등의 정보를 나타내게 했어요. 기계에 내가 만든 카드를 집어 넣자 전기 회로 몇 개가 닫혔고, 계산기가 순식간에 카드에 담긴 정보들을 계산했지요.

자, 보시죠!
내가 컴퓨터 공학의 문을 열었습니다!

내 방법은 실용적이고 빨라서 공모에 당선이 되었답니다. 그렇게 나는 인구 조사 일을 했고, 돈을 벌어서 '전산 제표 기록 회사'를 설립했어요. 이 회사는 여러 차례 합병이 되고 이름이 바뀐 끝에, 1924년에 '국제 사무 기기 회사(International Business Machines Corporation)'(IBM)가 된답니다.

IBM

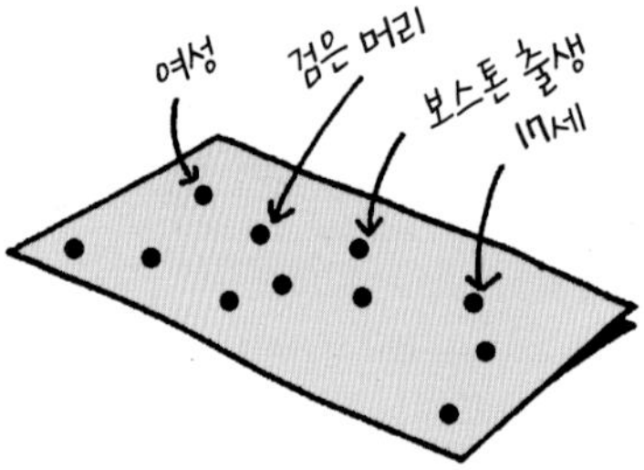
여성
검은 머리
보스톤 출생
17세

카드에 담긴 정보를 해독하려면 바늘이 있는 장비를 각 카드에 올려놓아야 해요. 바늘이 구멍과 만나면 수은이 든 작은 구멍에 들어가게 되고 회로가 탁 닫혀요. 전선에 전류가 흘러 40개의 카운터 중의 하나가 앞으로 튀어나가게 되지요.

천공 카드는 전 세계의 공공 기관과 회사에서 사용하고 있답니다. 지금은 여기저기 뚫린 구멍 대신 음 전류와 양 전류를 전달하는 자기 테이프와 자기 매체들로 대체되고 있지만요.

어쨌든 시작은 홀러리스의 천공 카드였어요. 이제 기계들은 전자 장치가 되었지요. 초기의 전자 장치들은 공룡처럼 거대했답니다. 라디오를 작동시키는 것과 같은 밸브가 수천 개씩 들어 있었거든요.

이런, 밸브가 수천 개!
애니악

87 전자 공학의 대변혁, 트랜지스터

규소
컴퓨터
라디오!
TV!

우리 세 사람은 천재적인 아이디어를 가지고 있었습니다. 더 정확히 말하면 나 윌리엄 쇼클리, 그리고 나의 동료인 존 바딘과 월터 브래튼이 역사상 최초의 트랜지스터를 만들었거든요. 그 신기한 물건은 벨 연구소에서 오랜 시간 진행된 연구의 결과물이었어요. 알렉산더 벨이 세운 전화 회사는 시간이 흐르면서 세계적인 다국적 기업 가운데 하나가 되었지요. 수백여 명의 연구원들이 벨 연구소에서 일했답니다.

우리는 이 발명으로 1956년에 노벨상을 받았습니다. 그 전까지는 반도체 광물들, 특히 지각에 가장 널리 분포되어 있는 규소를 연구했어요. 다른 유형의 두 가지 규소를 발견했는데, 결정 격자에 포함된 미량의 불순물에 따라 'n' 유형과 'p' 유형으로 나누었지요. 나는 부피가 큰 진공관 대신 전기 회로에서 반도체를 사용할 수 있다는 사실을 알아차렸어요.

우리가 처음 제작한 트랜지스터는 완전히 새로운 장치였답니다. 복잡하게 꼬인 전선들을 플렉시 유리 받침대에 겨우 접합시킨 것이었지요. 모양은 형편없었지만 증폭기로서는 제대로 작동을 했어요. 트랜지스터(TRANSconductance와 varISTOR의 합성어)라는 명칭은 한 동료가 제안했습니다. 우리가 트랜지스터를 처음 소개했을 때, 아무도 자신들의 눈앞에 있는 발명품이 인류의 역사를 바꿔 놓으리라고 상상하지 못했지요.

팝 아트?
바로 우리가 발명했습니다!

최초의 트랜지스터 이후의 트랜지스터

세 발명가는 곧 그들의 작은 발명품을 불쏘시개로 만드는 데 성공했어요. 그들은 트랜지스터를 벨의 전화와 트랜지스터 라디오, 컴퓨터에 삽입했지요. 그 후 트랜지스터는 점점 작아져서 같은 지지대에 수백 개를 집적하기에 이른답니다.

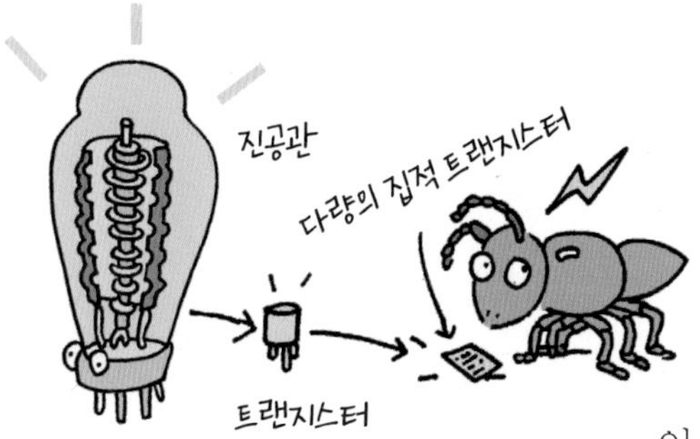

1971년에 미국인 테드 호프와 이탈리아인 페데리코 파긴, 두 연구자가 최초의 '마이크로 프로세서'를 개발했어요. 그러니까 작은 실리콘에 조그만 컴퓨터 하나가 모인 칩을 개발한 거지요. 이것을 인텔 4004라고 부른답니다. 아, 실리콘 '칩'은 개미 입에 들어갈 정도로 작았어요.

88 PC 시대를 열다, 스티브 잡스와 빌 게이츠

실리콘 마이크로 프로세서로 아주 작은 컴퓨터를 제작했지만 값은 꽤 비쌌어요. 그때까지는 대기업이나 정부 기관에서만 컴퓨터를 사용했거든요. 미래를 내다본 사람은 실리콘 밸리라는 이름으로 불리게 될 지역과 멀지 않은 도시인 캘리포니아 샌타클래라에 살던 한 젊은이였지요.

나는 스티브 잡스예요. 이 일을 어떻게 시작하게 되었냐고요? 열일곱 살 때 전화기를 들고 우리 지역의 가장 큰 컴퓨터 생산 회사인 휴렛 팩커드사의 빌 휴렛 씨와 통화하고 싶다고 말했어요. 빌 휴렛 씨는 내 말을 침착하게 들어 주었고, 여름 방학에 아르바이트를 해 보라고 제안했지요. 그때 나는 학생으로서 생활비를 벌기 위해 어떤 일이든 가리지 않고 다 했거든요. 비

디오 게임 프로그램을 만들기도 했고 빈 병을 모아 팔기도 했답니다.

나는 여행을 좋아해서 인도에 얼마 동안 머물렀어요. 그러다가 내 친구 스티브 워즈니악의 도움으로 아버지의 차고에서 우리의 첫 '가정용' 컴퓨터를 제작했지요. 그때부터 나는 다른 컴퓨터 회사들보다 더 앞으로, 더 빠르게 나가서 마침내 큰 기업을 만들었답니다.

아, 나와 동갑인 빌 게이츠는 최대 경쟁자였어요. 지금 여러분이 컴퓨터나 스마트폰을 가지고 채팅을 하거나 이메일을 쓰거나 인터넷을 한다면 그건 모두 우리의 번득이는 아이디어 덕택이랍니다.

스티브, 미안하지만
아빠가 주차하셔야 돼!

2012년 10월 25일, 스티브 잡스가 초기에 만든 컴퓨터 중 한 대가 오십만 유로에 경매되었어요. 나무 상자로 싸여 있었으며, 자판은 텔레비전에 연결되어 있었답니다.

스티브 잡스는 2011년 10월 5일에 불과 56세의 나이로 세상을 떠났습니다. 그와 그의 천재적인 아이디어를 기억하기 위해 그의 협력자들은 스티브 잡스처럼 생각하고 말하고 대답하는 프로그램을 개발했어요.

안녕, 난
스티브 잡스야!

스티브 잡스가 세상을 떠나기 3년 전에 잡스의 가장 큰 경쟁자였던 빌 게이츠는 자신의 회사 마이크로소프트사의 최고 경영자 자리에서 물러났어요. 그 뒤로 소외 계층을 도울 수 있는 방법과 기술 개발에 헌신하고 있지요.

컴퓨터 개발자에서 자선 사업가로

"우주는 오직 나를 위해 존재할 수도 있다. 만약 그렇다면 내가 잘되는 건 당연하며, 나는 그것을 받아들여야 한다."

1995년, 불과 마흔 살에 〈포브스〉 선정 세계 억만장자 순위 1위에 올랐던 빌 게이츠는 2년 후 〈타임〉과의 인터뷰에서 이렇게 말했어요.

2013년 4월, 한국을 방문한 빌 게이츠 미국 마이크로소프트사 창업자가 서울대학교 100주년 기념관 강연장으로 들어서면서 학생들에게 손을 흔들고 있다.

서른 살에 마이크로소프트(MS)의 상장으로 억만장자 대열에 들어선 후 10년 만에 세계 최고 부자 타이틀을 거머쥐었으니 자신감이 넘칠 만도 하지요. 그는 이후로도 최근까지 세계 최고 부자 자리를 놓치지 않은 덕에 세상에서 가장 유명한 사람이 되었지만, 재산을 쌓는 과정에서 엄청난 비판에 시달리기도 했답니다.

많은 사람들이 게이츠와 그의 고교 선배 폴 앨런이 IBM PC용 운영 체제인 MS-DOS를 만들었다고 알고 있어요. 하지만 MS-DOS는 사실 시애틀 컴퓨터 프로덕트라는 회사가 개발한 QDOS라는 프로그램을 게이츠가 사들인 후 이름을 바꾼 거예요. 마이크로소프트사가 대박을 터뜨리게 된 계기는 1980년에 IBM이 개인용 컴퓨터를 만들기 시작하면서부터랍니다.

그 당시 IBM은 컴퓨터를 구동하는 운영 체제(OS)가 필요했지만, MS는 이를 개발할 만한 역량이 안 되었어요. 게이츠는 CP/M-86을 개발한 디지털 리서치라는 회사를 알려 주었다가 양사 간의 협상이 틀어지자 QDOS의 저작권(라이선스)를 사서 IBM에 납품했지요. QDOS가 CP/M-86과 상당히 유사해 표절 의혹을 받고 있었지만 IBM에는 이 사실을 알려 주지 않았고요.

게이츠의 사업가적 안목은 여기서 빛을 발한답니다 '컴퓨터 산업=하드웨어 산업'으로만 여겨지던 그때, 그 누구도 진정한 가치를 몰랐던 QDOS를 5만 달러를 주고 통째로 사 버렸거든요. 그 후 QDOS의 이름은 MS-DOS로 바뀌었고, 세계의 모든 기업과 집집마다 컴퓨터가 놓이는 'PC 시대'가 도래했지요.

다음 과제는 현재의 컴퓨터와 같은 그래픽 사용자 환경(GUI)을 갖춘 운영 체제를 만드는 일이었어요. MS는 제록스와 애플이 만든 GUI를 모방해 윈도를 만들었답니다. 첫 제품은 너무 조악해서 혹평을 들었으나, 나중에 나온 '윈도 3.0'은 크게 인기를 끌었지요.

처음 DOS가 보급될 때만 해도 대부분이 복제품이었으나, 윈도로 시장을 장악한 후 MS는 점차 가격을 올리고 저작권 관리를 강화하기 시작했어요. 사실 MS-DOS 시절까지만 해도 '소프트웨어를 돈 주고 구입해야 한다'는 인식 자체가 없었는데, MS가 소프트웨어 분야에 저작권 개념을 도입해 새로운 시장을 열어 젖힌 거예요.

MS는 컴퓨터당 한 개씩 사용권을 얻어야 한다는 정책을 밀고 나갔고, 기업들은 직원 수에 맞추어 라이선스를 구입해야 했지요. 결국 PC가 한 대씩 늘어날 때마다 MS는 그만큼 수익이 나는 구조를 갖추게 되었답니다.

2001년에 기업 분할 항소심에서 승리한 뒤, 게이츠는 꾸준히 재단에 재산을 기부했어요. 그의 진정성이 받아들여지면서 게이츠의 냉혈한 자본가 이미지는 따뜻한 기업인으로 바뀌어 갔지요. 천문학적인 규모의 재산을 자녀에게 물려주지 않고 죽기 전에 거의 모두 기부하겠다고 밝힘으로써 '노블레스 오블리주 정신의 실천가'로 인정받게 되었답니다.

89 WWW를 고안하다, 인터넷

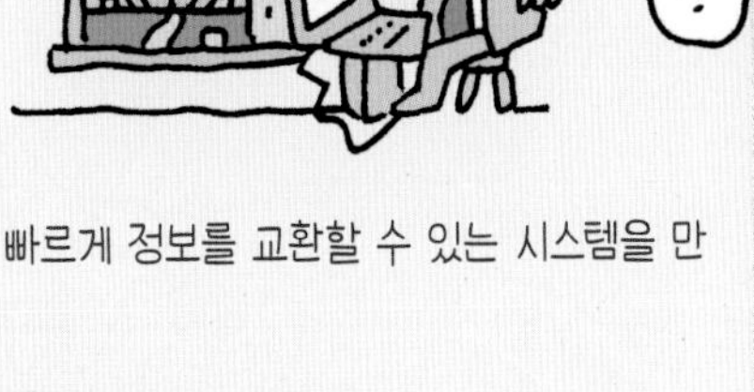

내 이름은 팀 버너스 리입니다. 영국인이고 CERN(유럽 원자핵 공동 연구소)에서 일하지요. 물리학을 전공했고, 장학금을 받으면서 연구를 하는 중이랍니다. 내가 상사에게 센터의 여러 건물에서 연구하는 과학자들끼리 빠르게 정보를 교환할 수 있는 시스템을 만들자고 제안했어요.

'하이퍼텍스트'라는 건데, 컴퓨터에 삽입하면 네트워크에 연결된 다른 컴퓨터에서도 볼 수 있거든요. 상사는 내 제안서를 읽더니 조금 막연하지만 흥미롭다고 하더군요. 그러고는 우리에게 자유롭게 연구를 해 보라고 했어요. 그래서 내 동료 로베르 카이오와 함께 이 시스템 개발을 시작했답니다.

2년 뒤 CERN의 전 연구원들은 최초의 '사이트'를 자유롭게 이용해서, 자신들의 연구 결과(뿐만 아니라 궁금한 사항)들을 입력하고 다른 연구자의 자료를 찾아보게 되었어요. info.cern.ch.는 세계 최초의 인터넷 웹 사이트예요.

그 후 연구소들과 대학, 개별 과학자들의 다른 네트워크가 CERN의 네트워크에 연결되어서 점점 커지기 시작했고, 다른 나라의 연구소들과 공유하게 되었지요. 1993년에는 인터넷에서 주제와 페이지를 찾는 최초의 브라우저가 등장했어요.

같은 해에 CERN은 이 특별한 발명품에 대한 저작권을 포기했고, 팀 버너스 리와 그의 동료들이 만든 소프트웨어 프로토콜을 전 세계 사람들이 자유롭게 이용할 수 있도록 했어요. 그해 사이트만 130개였지요. 2003년에는 3,500개, 2008년에 55,000개였으며, 인터넷 이용자는 20억 명이 넘었답니다.

인터넷의 조상, 아르파넷

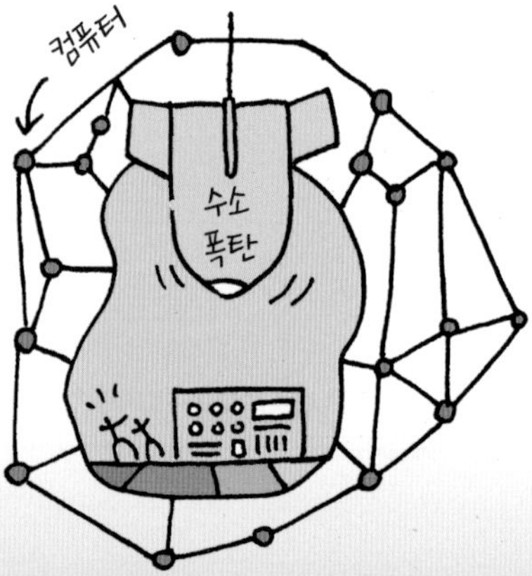

인터넷의 조상은 아르파넷으로 미국에서 컴퓨터 연결망으로 발명되었어요. 1960년대로 거슬러 올라가는데, 미국과 소련이 대립하고 있어서 핵전쟁이 발발할 위험이 있던 시기였지요. 적의 공격으로 여러 군사 기지의 자료가 손실되는 것을 피하기 위해, 모

든 정보가 공유되는 연결망이 발명되었던 거예요. 아르파넷에서 2명의 사용자가 역사상 최초의 메일을 주고받았답니다.

거미줄처럼 얽히다, WWW

인터넷은 'INTERconnected computer NETwork(서로 연결된 컴퓨터 연결망)'이 되어 가고 있어요. 팀 버너스 리는 인터넷을 전 세계적인 것으로 만들었고, World Wide Web(세계처럼 넓은 연결망)이라는 용어를 고안해 냈지요.

소수의 과학자들을 위해 탄생했지만, 이제는 모두에게 통신을 주고받고 자료를 찾고 뉴스를 읽고 친구와 접속하고 과제와 연구 등등에 가장 실용적이고 보편적인 수단이 되었답니다.

유전자의 비밀을 파헤치다

수천 년 전부터 농부들은 품종 개량을 위해 식물과 동물을 인위적으로 선택했어요. 그런 선택이 가능하도록 자연 법칙을 발견한 사람은 바로 농부의 아들이자 수도회에 속한 성직자였답니다.

90 유전의 법칙을 발견하다, 멘델

많은 사람들이 눈동자 색이나 머리카락 색 같은 부모의 몇 가지 특성들이 자식에게 어떻게 전달되는지를 이해하려고 애썼어요. 가축을 기르는 사람들에게는 어떤 특징이 무엇 때문에 어떻게 나타났다가 사라지는지가 수수께끼였지요. 그런 유전의 법칙을 발견한 사람은 브르노의 아우구스티누스 수도회의 수사였답니다.

유전에 대한 아이디어는 쉽게 직감할 수 있다.
"아빠를 빼다 박았어. 엄마도! 할아버지도!"
신생아를 보며 친척들이 이렇게 말한다.
—그레고어 멘델

숫자를 자세히 관찰해 보면
자연의 법칙을 알 수 있답니다!

성토마스 수도원에서는 기도만 하는 게 아니었어요. 수도원은 마치 식물 개량을 연구하는 작은 연구소 같았지요. 연구실과 다양한 책들이 갖추어진 도서관도 있었거든요. 수도원에서 나는 연구를 계속할 수 있었고, 젊은 시절에는 비엔나 대학에 다닐 수도 있었어요. 대학에서 유명한 교수 몇 분을 알게 되었답니다. 그분들 중 안드레아스 폰 에팅스하우젠 교수는 통계가 어떻게 사용되는지 설명해 주었습니다.

아들아!
아빠!

점심은 완두콩
죽을 먹자고!
저녁에는
완두콩을!
멘델
지겨워!

거기서 나는 번득이는 아이디어를 생각해 냈지요.

수도원의 밭에서 '순종' 완두콩을 키우고, 각기 다른 특징을 가진 다양한 완두콩들을 교배했어요. 줄기의 키가 크거나 작기도 하고, 씨앗이 매끄럽거나 거칠거나, 노랗거나 초록이거나 등등…….

나는 7년이 넘게 28,000여 포기의 완두를 키우고 교배를 했답니다. 마침내 어떤 특성들은 변함없이 항상 같은 비율로 후대로 전해진다는 사실을 발견했어요. 그 후 나는 그런 특성들이 아주 분명하고 독립적인 인자 때문이라는 것을 증명했지요. 오늘날에는 그 인자를 '유전자'라고 부릅니다. 조용히 완두콩 밭의 잡초를 뽑으며 유전 법칙을 발견한 셈이죠.

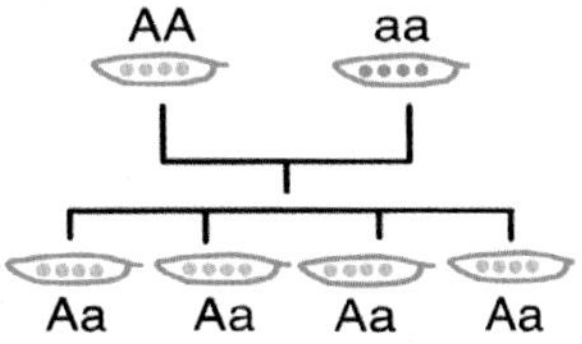
AA
aa
Aa
Aa
Aa
Aa

초록 완두콩의 특징을 '열성'이라고 부릅니다. 노란 완두콩의 특징은 '우성'이라고 해요. 제1세대에서 초록 성질은 사라져 버리죠. 이것이 바로 '우성의 법칙'이에요.

만약 잡종끼리 교배를 하면 제2세대는 다음과 같아요.

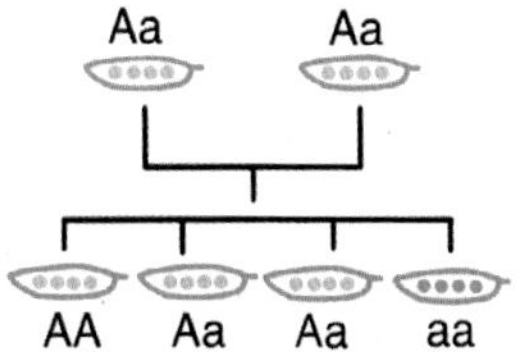
Aa
Aa
AA
Aa
Aa
aa

- 초록 완두콩(순종) : 1/4
- 노란 완두콩(잡종) : 2/4
- 노란 완두콩(순종) : 1/4

초록 콩이 열리는 완두와
노란 콩이 열리는 완두를
교배하면……
…… 그 뒤,
완두에서 열리는 콩은
전부 노란색이랍니다!

이런 현상이 항상 똑같이 나타납니다. '초록'의 특성이 언제나 25퍼센트의 비율로 다시 나타나지요. 여기서 멘델이 '분리의 법칙'이라고 부른 두 번째 법칙이 탄생한답니다.

돌연변이 유전자
얌!
호의적인 변이
못 해!

돌연변이를 밝히다, 휘호 더 프리스

네덜란드인 휘호 더 프리스는 멘델의 법칙을 '재발견'한 세 학자 가운데 한 사람이에요. 실제로 멘델의 연구의 중요성은 그가 죽고 난 뒤 16년이 지나서야 인정을 받았어요. 더 프리스는 유전자들이 돌연변이의 대상이라는 것도 밝혀내는데, 이것은 자연 선택과 함께 진화론을 설명하고 완성해 준답니다.

91 우리 몸 속의 유전 정보, 염색체

내가 거대한 염색체를 가지고 있다고 하더군요!

멘델의 법칙이 재발견된 뒤에 유전자들이, 모든 생물 세포에 존재하는 '작은 막대'인 염색체에 자리한 구체적인 물질이라는 게 명확해졌어요. 염색체를 처음 알아낸 사람은 토머스 헌트 모건이에요. 그는 자신의 연구에 아주 흔한 벌레인 초파리를 이용하는 아이디어를 냈지요.

유전자들은 여기 있습니다!

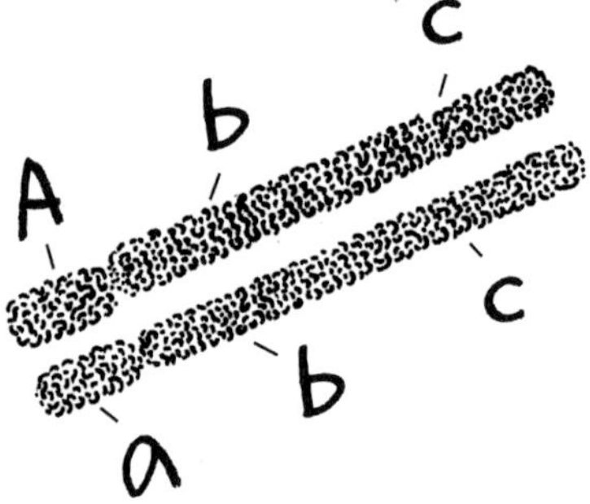
A
b
c
a
b
c

초파리는 단 며칠 사이에 생긴다는 특징을 가지고 있어요. 초파리가 지닌 몇몇 세포의 염색체는 생각보다 꽤 거대해요. 덕분에 모건은 놀라운 결과를 얻게 되었답니다. 생물체의 유전자 지도를 최초로 간략하게 그릴 수 있게 된 거예요.

92 유전자의 본체, DNA

생화학자들은 이제 염색체와 유전자가 어떤 물질로 구성되었는지 알아냈어요. 유기산, 데옥시리보 핵산(DeoxyriboNucleic Acid)입니다. 첫 머리 글자를 따서 DNA라고 부르지요. 오스트리아의 생화학자 어윈 샤가프는 DNA에 항상 동일한 네 개의 '질소염기' 즉, 아데닌, 티닌, 사이토신, 구아닌이 들어 있다는 사실에 주목했어요.

모든 종에 들어 있는 DNA의 양은 다 달라요. 하지만 DNA가 생물을 어떻게 구성하고 움직이는지, 그리고 크고 복잡한 유전자들을 모두 어떻게 포함하고 있는지는 아무도 상상하지 못했지요. DNA의 구조를 이해하기 위해 X선을 사용할 아이디어를 낸 사람은 영국의 젊은 여성 연구자 로절린드 프랭클린이에요. 로절린드는 X선으로 여러 장의 사진을 촬영했는데, 그중 '사진 51'은 역사적인 사진으로 꼽힌답니다.

DNA
(유명한 사진 뒷면)
3D로 생각할 수 있어야만 해.
—로절린드 프랭클린

93 DNA 구조를 밝히다, 왓슨과 크릭

나는 제임스 왓슨이에요. DNA의 X선 사진은 관련자가 아닌 사람이 보면 별 의미가 없어요. 하지만 국제 학회에서 모리스 윌킨스가 로절린드 프랭클린이 찍은 사진을 보여 주었을 때 속으로 깜짝 놀라고 말았어요. 사실은 나도 이미 X선을 이용해 다른 고분자들을 연구하고 있었거든요. 그래서인지 사진 속에서 매우 친숙한 모양을 발견했어요. 그 사진을 보면서 DNA에 숨어 있는 비밀을 해석해 낼 수 있을지 모른다는 희망을 갖게 되었지요.

케임브리지 대학에서 친구이자 동료인 프랜시스 크릭과 함께 우리는 DNA 연구를 하기로 결심했어요. 우리 연구 계획과는 딱히 관련이 없었지만 말이죠. 크릭은 물리학을 전공했는데, 분자 생물학에 큰 관심을 가지고 연구했어요. 다양한 시도와 화가이자 크릭의 아내인 오딜 스피드의 스케치 덕분에 우리는 3차원 구조의 DNA 모델을 만드는 데 성공했답니다.

세상에나!
사진 뒷면
왓슨

좋아요!
좋아요!
크릭

1953년에 왓슨과 크릭은 《네이처》지에 논문을 발표했는데, 그들의 주장을 뒷받침하는 로절린드 프랭클린과 왓슨의 동료 모리스 윌킨스의 논문이 함께 실렸어요. 논문에서는 DNA가 복제되는 방법을 상세히 제시했답니다. 실제로 이중 나선은 지퍼처럼 열리고 자신에게 필요한 분자들을 끌어당겨 상보적 사슬을 만들어요. 이 체계 덕분에 우리 지구에서 생명체가 증가하고 보존되지요.

1962년에 왓슨과 크릭, 윌킨스는 노벨 의학상을 수상합니다. 연구와 자연의 역사에서 가장 놀라운 발견을 시작했던 로절린드는 3년 전에 이미 암으로 세상을 떠난 뒤였어요. 아마도 실험 중에 과도하게 X선에 노출되었던 게 원인이었을 거예요.

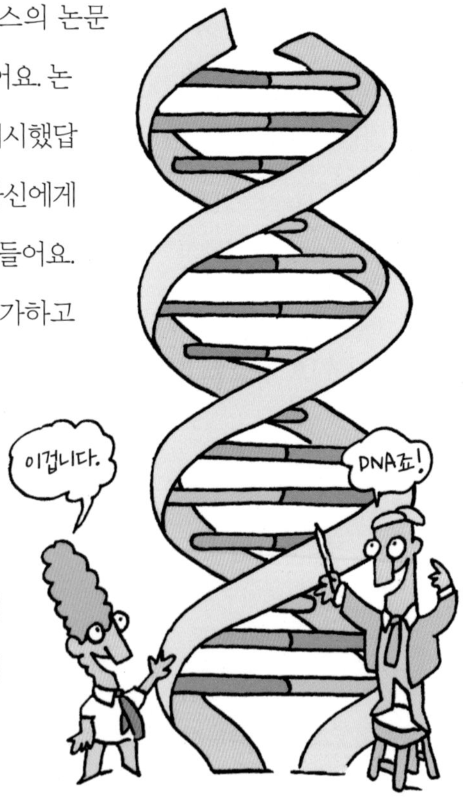
이겁니다.
DNA죠!

94 생명의 정보를 캐내다, 프레더릭 생어

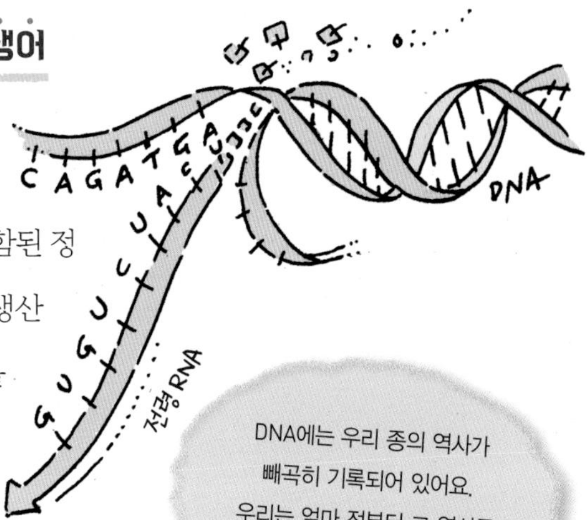

DNA를 발견하고 난 뒤 프랜시스 크릭은 어떠한 메커니즘을 통해 세포가 유전자에 포함된 정보를 이용해서 완벽한 개체의 구성 요소를 생산해 내는지를 밝혔어요. 뿐만 아니라 단백질을 형성하는 데 필요한 정보를 보관하고 전달하는 네 가지 염기(아데닌, 티닌, 사이토신, 구아닌)의 암호가 어떻게 기능하는지를 해독했지요.

DNA에는 우리 종의 역사가 빼곡히 기록되어 있어요. 우리는 얼마 전부터 그 역사를 읽는 법을 배우고 있지요.

1990년에 제임스 왓슨은 전 세계의 다른 유전학자들과 함께 '인간 게놈 프로젝트'를 시작합니다. 우리 인간, 호모 사피엔스의 모든 유전자 지도를 그리는 것을 목표로 하는 프로젝트예요. 이 연구에서 24,000개의 유전자가 확인되었으며, 아직 정확한 역할이 알려지지 않은 DNA를 가진 염색체들도 발견되었어요. 이런 야심찬 프로젝트를 진행시킨 사람은 크릭의 연구소에서 그리 멀리 않은 곳에 있는 작은 연구소에서 일하는 사람이었답니다.

나는 인간과 다른 수많은 동물과 식물의 유전자를 확인한 프레더릭 생어입니다. 영국의 생화학자이며, 노벨상을 두 번 수상했어요. 케임브리지 대학에서 DNA를 '읽는' 방법을 개발했지요. 호르몬단백질인 인슐린을 형성하는 아미노산의 서열을 결정하기 시작했어요. 이 발견으로 1958년에 첫 번째 노벨 화학상을 수상했습니다.

1975년에는 DNA에서 '염기'의 서열을 확인하기 위한 방법을 개발했어요. 이 방법으로 작은 게놈, 즉 바이러스 DNA의 '서열'을 밝혔고, 1980년에 두 번째 노벨상을 수상했지요. 실제로 나는 생명 공학과 그레고어 멘델이 상상도 하지 못했을 미래를 향해 길을 열었답니다.

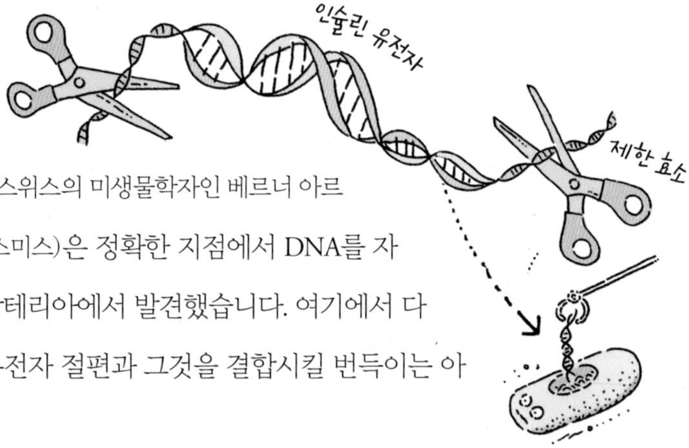

유전자 변형 생물

한편, 생어의 몇몇 동료들(스위스의 미생물학자인 베르너 아르버와 다니엘 네이선스, 해밀턴 스미스)은 정확한 지점에서 DNA를 자를 수 있는 일련의 분자를 박테리아에서 발견했습니다. 여기에서 다른 생물의 DNA에서 얻은 유전자 절편과 그것을 결합시킬 번득이는 아이디어가 탄생했어요.

그렇게 해서 GMO(Genetically Modified Organism)를 얻을 수 있게 되었지요. 유전자 변형의 역사에서 최초의 생물은 인슐린을 생산하는 인간 유전자에 결합된 박테리아였어요. 다른 많은 유전자 변형 생물들이 그 뒤를 잇는데, 어떤 것들은 논쟁을 불러일으키기도 했답니다.

95 우리 몸에 새겨진 바코드, 유전체 각인

우리의 유전자는 우리와 같은 모든 종의 유전자와 동일하지요. 유전자들은 환형 동

물부터 침팬지까지 모든 생물과 우리가 관련이 있다고 우리에게 말해 줘요. 하지만 우리 DNA의 몇몇 부분은 (겉으로는 불필요해 보이지만) 우리에게만 있고 독특하답니다.

나는 알렉 제프리스예요. 이런 관찰을 토대로, 극소량의 생물학적 물질 속에도 들어 있는, 작고 개인적인 DNA를 밝히기 위한 방법을 개발했습니다. 나의 방법은 지문 비교 방법과 서로 협력하지요.
전 세계에서 이 방법을 이용해서 범죄 현장에 남겨진 생물학적 증거와 용의자의 DNA를 비교하여 범인을 잡고 있어요. 이 방법으로 잡힌 최초의 범인은 1988년에 영국에서 소녀들을 죽인 살인자였지요. 그리고 대형 사고 희생자들의 유해를 확인하는 데도 이용되었어요.

우리 몸의
바코드죠!
우리처럼
단 하나뿐입니다!
알렉 제프리스

세상을 특별하게 만드는 아이디어

물질은 원자로 구성되어 있는데,
원자는 우리가 생각하는 것보다 훨씬 더 복잡합니다.
원자를 이해하는 길을 연 사람은 폴란드에서 태어났으나
프랑스로 귀화한 여성 과학자랍니다.

96 방사능을 발견하다, 마리 퀴리

나는 마리 퀴리예요. 스승인 앙리 베크렐 교수가 발견한 이상한 현상을 연구하기 시작했어요. 베크렐 교수가 상자에 몇 장의 사진 건판과 우라늄 광석을 함께 넣어 두었는데, 이 우라늄 광석의 형태가 건판에 남아 있었던 거예요! 그렇게 해서 우연히 우라늄에서 엑스선과 유사한 광선이 나온다는 것을 발견하게 되었어요. 뜻밖의 행운으로 베크렐은 노벨상을 수상했답니다.

나는 그 연구에서 한 발 더 나아가서 우라늄 광석에 아직 알려지지 않은 화학 성분 두 가지가 포함되어 있다는 사실을 알아냈어요. 그중 하나를 내 고향 폴란드의 이름을 따서 폴로늄이라고 불렀고, 하나는 라듐이라는 이름을 붙였지요. 특이한 광선이 나오기 때문이에요. 라듐은 모든 성분 중 방사성이 가장 강해요. 사실 방사능이라는 용어도 내가 만들었습니다.

그 당시에는 방사능이 얼마나 위험한지 아무도 알지 못했어요. 파리에서 제일 유명한 무용단인 폴리 베르제르의 무희들은 자신들을 위해 방사능 크림을 발명해 주길 바랐을 정도니까요. 몸에 바르면 방사선이 나와서 반짝반짝 빛을 발하는 크림이지요.

기회는 준비된 사람에게만 옵니다!
베크렐

마리 퀴리의 친구이자 동료인 어니스트 러더퍼드는 방사능이 원자들의 자연적인 붕괴, 그러니까 원자들이 붕괴하면서 방출하는 입자와 광선이라고 정의합니다. 마리 퀴리에 의해, 원자는 이제 '눈으로 볼 수 없

는' 물질이 아니었어요. 우리가 만지고 무게를 달고 호흡할 수 있는 '물질'이 된 거죠. 그러니까 입자를 제거하거나 덧붙여서—고대 연금술사들의 꿈이었던—다른 성분으로 바꿀 수 있게 된 거예요.

마리 슬로도바스카 퀴리는 여성으로서는 최초로 노벨상을 두 번 받았으며, 소르본 대학 최초의 여성 대학 교수가 되었어요.

그녀는 1867년에 전쟁의 소용돌이에 빠져 있던 폴란드의 바르샤바에서 태어났어요. 그 당시 폴란드는 러시아의 강제 점령 아래 있었고, 물리학 교수였던 아버지는 러시아의 탄압으로 교수직을 얻지 못해 근근이 생계를 이어 나갔답니다. 열여섯 살에 러시아 고등중학교를 졸업한 뒤, 학비를 마련하지 못해 대학에 진학하지 못하고 교사로 일해야 했어요. 여성 노동자들에게 폴란드어를 가르치면서 민족주의자의 '자주 강좌'에 비밀리에 참석했지요. 그리고 1891년에 소르본 대학에 입학했답니다.

여성 과학도에 대한 주위의 시선이 곱지 못했던 시절에, 마리는 대학에 입학한 지 3년 만인 1894년에 물리학과 수학의 석사 학위를 동시에 취득했어요. 그리고 같은 해에 삶과 연구의 동반자인 남편 피에르 퀴리를 만났지요.

한편, 학위 논문의 주제를 찾고 있던 마리는 1896년에 베크렐이 발견한 새로운 현상(그녀는 훗날 이 현상을 '방사능'이라고 불렀어요.)을 접하고, 우라늄에서 발견되는 성질이 다른 물질에서도 발견되는지 찾아보기로 했지요. 그리하여 토륨에서도 같은 성질이 나타난다는 것을 발견한답니다. 또, 광물질을 조사하면서 순수한 우라늄보다 강한 방사능을 배출하는 역청 우라늄광에 관심을 가지게 되었어요. 이는 역청 우라늄광에 방사능을 방출하는 새로운 물질이 들어 있다는 것을 의미했지요.

마리는 이 물질의 정체를 밝혀내기 위해 남편과 함께 열악한 환경 속에서도 연구를 거듭하여 결국 새로운 방사성 원소를 발견해 냅니다. 이 새로운 원소의 이름을 조국 폴란드를 기리는 의미에서 '폴로늄'이라 이름 붙였고, 1902년에는 또 다른 방사능 원소

'라듐'을 찾아내지요.

제1차 세계 대전 기간에는 딸 이렌과 함께 X선 사진 촬영기를 들고 전쟁터로 나간 뒤, 이동 차량에 X선 촬영기를 싣고 의료반을 조직해 활동했어요. 병사들의 뼈 사이에 깊숙이 박혀 있는 파편을 X선으로 일일이 찾아냈지요. 만일 X선이 없었더라면, 그리고 포화를 뚫고 이를 실어 온 용감한 과학자 마리가 없었더라면 아마도 전쟁의 희생자는 훨씬 더 많았을지도 몰라요.

그러나 계속된 방사능 실험으로 인한 방사능 오염 후유증 때문에 마리의 몸은 점점 더 쇠약해졌어요. 쇠약해진 몸을 이끌고도 연구를 쉬지 않은 탓에, 1934년에 끝내 백혈병으로 생을 마감하고 말았답니다.

97 상대성 이론으로 세상을 뒤집다, 아인슈타인

나는 알베르트 아인슈타인이에요. 나의 위대한 아이디어가 뭐냐고요? 상대성 이론입니다. 시간은 장소와 사건에 대해 상대적이라는, 다시 말해 전 우주에서 동일하지 않다는 이론이지요. 시간이 거의 멈춰 있는 장소들도 있습니다. 예를 들어 블랙홀에서는 시계가 절대 자정을 가리키지 않아요! 시간은 속도 때문에 느려지기도 해요. 지구 위의 사람들에게보다 스타 트렉 비행선을 탄 사람들에게 시간은 더 느리게 흘러갑니다.
하지만 내 이론에는 우리를 둘러싼 세상을 이해하는 방법에 전환을 가져온 간단하면서도 독특한 공식도 포함됩니다. 바로 $E=mc^2$이지요.

몇 시야?
신경 쓰지 마.
E=mc²

지지직!!
지지직!
E
m

E는 에너지이고 m은 질량, c는 빛의 속도(300,000km/s), 혹은 질량 곱하기 빛의 속도에 제곱을 해서 나오는 아주 큰 숫자예요. 이 공식은 물질과 에너지의 가치가 똑같다고 밝힙니다. 말하자면 모든 물질은 에너지로 바뀔 수 있고 그 반대도 가능하다는 거지요! 뿐만 아니라 소량의 물질이 거대한 양의 에너지가 될 수도 있어요.

시간의 상대성에 대한 아인슈타인의 천재적인 아이디어로 미래로의 여행을 상상할 수 있게 되었답니다. 질량과 에너지의 등가성에 대한 이론은 물질을 새롭게 이해하는 길을 열었어요. 물질의 가장 작은 입자까지도 에너지 '꾸러미'라는 게 밝혀졌으니까요.

아인슈타인은 독일에서 태어났으며, 스위스 취리히 공대를 졸업했어요. 특허국 심사관으로 일하면서 틈틈이 이론 물리학을 공부해, 1905년에는 현대 물리학의 기초를 다지는 네 편의 논문을 연이어 발표했지요. 첫 번째 논문에서는 빛이 에너지 입자로 구성됐다는 가설을 제기했고, 두 번째 논문에서는 원자와 분자의 존재에 대한 브라운 운동을 설명했답니다. 세 번째 논문이 그 유명한 특수 상대성 이론이며, 네 번째 논문에서 질량과 에너지의 등가($E=mc^2$) 이론을 확립했어요.

아인슈타인의 '상대성 이론'은 그 당시 지배적이었던 뉴턴의 체계를 송두리째 흔들어 놓았지요. 그가 발표한 일반 상대성 이론은 그 전의 시간과 공간에 대한 생각에 커다란 혁명을 가져왔거든요. 그는 시간과 공간이 하나로 결합된 '시공간'이라는 개념을 도입했답니다. 그리고 중력이 물체를 끌어당기는 현상을 시공간이 휘는 현상이라고 설명했어요. 말하자면 블랙홀의 개념은 중력이 강할수록 시공간이 휘어지는 정도가 크다는 일반 상대성 이론을 바탕으로 하고 있지요.

한편, 1933년에는 아돌프 히틀러가 독일의 정권을 움켜쥐면서 유대인에 대한 억압이 심해졌어요. 독일 정부는 아인슈타인의 집과 별장 등을 수색하여 물건을 압수했지요. 이를 통해 독일의 전쟁 준비를 확신한 그는 나치의 과학자들이 원자폭탄을 만들어 세계에 위협을 가할 것을 우려한 나머지, 미국의 루스벨트 대통령에게 "독일이 원자폭탄을 만들기 전에 미국에서 먼저 확보해야 한다."는 내용의 편지를 썼지요. 이 일로 미국에서 원자폭탄을 개발하는 맨해튼 계획이 시작되었답니다.

1945년에 미국이 일본에 원자폭탄을 투하하자 자신의 편지가 어떤 결과를 낳았는지를 깨닫게 되었지요. 그는 즉시 원자폭탄의 사용에 반대하는 과학자 집단에 합류했답니다. 그리고 미국과 소련 사이에 무기 경쟁이 심화되는 것을 보고서 세계의 미래 걱정에 휩싸였고, 영국의 철학자 버트런드 러셀과 함께 핵무기 개발을 반대하는 〈러셀-아인슈타인 선언〉을 발표했어요. 그러다 1955년 4월 18일, 프린스턴 병원에서 조용히 숨을 거두었답니다.

98 핵 시대의 개척자, 페르미

나는 엔리코 페르미예요. 갑작스레 번개처럼 빠르게 결정을 내렸습니다. 내가 과녁 역할을 하는 원자를 향해 중성자를 쏘려고 만든 장치 내부에 평상시 사용하던 납 조각 대신 흔하디흔한 파라핀을 넣은 겁니다. 나도 왜 그랬는지 몰라요.

그런데 이상한 일이 벌어졌어요. 중성자들이 느려진 겁니다. 이 중성자 입자들은 라듐에서 발사되었지요. 중성자들이 느려지면서 더욱 자주 붕괴되었고, 결과는 아주 만족스러웠답니다. 그리고 내가 우라늄을 쏘았을 때 놀라운 일이 벌어집니다. 우라늄 원자들이 더 작은 원자로 쪼개지면서 놀랄 만큼 많은 양의 방사선을 방출한 거예요. 심지어 우리가 새로운 원소들을 발견했다고 말하는 사람도 있었어요! 어디까지나 나는 역사에서 최초의 연쇄 반응을 시작하게 도운 겁니다.

팍!
팍!
느린 전자

> 이런 일은 모두 로마의 파니스페르나 거리에 있는 우리의 작은 연구실에서 일어났다. 파라핀 이외에 정원 분수의 물을 사용하기도 했다. 그 안에서 헤엄치던 빨간 금붕어들을 괴롭히면서.
>
> —엔리코 페르미

1938년에 페르미는 노벨상을 수상하기 위해 스톡홀름으로 갔습니다. 그 후 인종법(1938년 나치스의 뉘른베르크 법안을 모방해 이탈리아에서 만든 유대인 차별법)이 발효되고, 전운이 감돌던 이탈리아에는 돌아가지 못했어요.

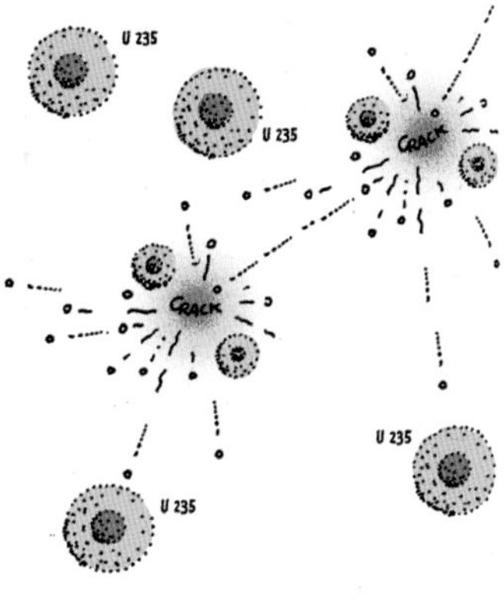

페르미는 콜롬비아 대학에 자리를 잡고서 미국 정부에 시민권을 신청합니다. 그리고 3년 뒤, 로버트 오펜하이머가 지휘하는 '맨해튼 계획'에 참여하게 되지요. 로스앨러모스 연구실에서 다른 동료들과 함께 최초의 원자폭탄을 제작합니다. 전쟁과 평화는 이제 예전과 같은 모습이 아니었어요. 사실 엔리코 페르미는 최초의 원자로를 제작하는 등 많은 일을 했고, 양자 역학의 법칙을 발견해 동료들의 존경을 한 몸에 받았지요. 심지어 모든 기본 입자들을 그의 이름을 따 '페르미 입자'라고 부르기까지 합니다. 페르미 입자는 인도의 물리학자 사티엔드라 나티 보스의 이름을 딴 '보스 입자'와 반대되는 개념이에요.

99 신의 입자를 발견하다, 힉스

> 나는 신의 입자라는 말을 좋아하지 않습니다. 하나의 '보스 입자', 혹은 미세한 '양자', 다시 말해 광자와 같

은 에너지 꾸러미일 뿐이니까요. 나는 1964년에 스코틀랜드 언덕을 산책하다가 그 입자를 생각하게 되었어요. 그 입자가 여러 현상들을 설명해 주기 때문에 그동안 많은 연구자들이 그것을 찾으려 했지요. 마침내 2012년에 유럽 입자 물리 연구소가 그것을 '포착'했다고 발표하자, 나는 가슴이 몹시 두근거렸습니다. 이 입자의 특징은 다른 입자들이 질량을 가질 수 있게 부여해 주는 거예요.

이 세계가 존재하고 우리가 그것을 손으로 만지거나 무게를 재거나 물어뜯을 수 있다면, 그건 다 힉스 입자 덕분이에요. 그 입자를 찾기 위해 인류 역사상 가장 큰 기계를 사용해야 했지요. 바로 CERN에 있는 입자 가속기였어요. 터널의 둘레가 자그마치 27킬로미터나 된답니다! 빅뱅 이후 우주를 창조했던 메커니즘을 재구성하기 위해 입자들을 가속시켜 충돌하게 만들었거든요.

그렇다면 힉스 입자가 과연 세상을 바꾸게 될까요? 아마도 그럴 거예요. 어쩌면 벌써 바꿔 놓았는지도 모릅니다. CERN의 과학자들이 세상을 바꾸려 애쓰며 암 진단을 위한 양전자 단층 촬영기, 인터넷, 초전도체, 초고속 컴퓨터 등을 발명했으니까요. 이렇게 수많은 발명품을 탄생시킨 건 그들의 번득이는 아이디어 덕분이지요.

피터 웨어 힉스는 영국 킹스 칼리지 런던 출신의 이론 물리학자예요. 1964년에 힉스 입자의 존재를 예상했고, 힉스 입자의 존재가 CERN의 LHC 가속 실험을 통해 공식적으로 확인되면서 2013년에 프랑수아 앙글레르와 함께 노벨 물리학상을 수상한답니다.

자연계를 이루는 모든 기본 입자들은 기본 고유량을 가지고 있어요. 말하자면 전하량과 스핀(고유하게 가지고 있는 운동량), 그리고 질량을 가지고 있지요. 이 가운데서 질량이 어떻게 생겨나는지를 설명해 주는 것이 바로 힉스 입자예요.

힉스는 137억 년 전에 우주가 탄생할 당시, 모든 물질에 질량을 부여해 준 입자입니다.

그래서 신의 입자라고도 불리지요.

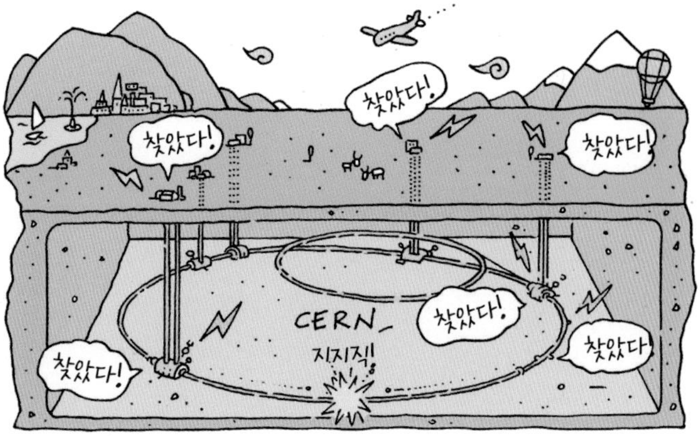
찾았다!
찾았다!
찾았다!
CERN
지지직!
찾았다!
찾았다!
찾았다!

이 힉스 입자는 힉스장을 형성해요. 광자(빛의 입자)가 전자기력장을 형성하는 것처럼요. 이 힉스장과 상호 작용을 강하게 하는 물질일수록 많은 질량을 부여받아요.

여기서 상호 작용을 강하게 한다는 것은 물질이 이동할 때 더 많은 저항을 받는다는 뜻이에요. 질량이 높을수록 더 많은 힘을 필요로 한다는 거죠. 즉, 이동을 하는 데 더 많은 힘이 드는 셈이에요. 그런데 만약 질량이 없는 입자가 있다면? 당연히 힉스장과 상호 작용을 하지 않는 것이라 할 수 있어요.

힉스 입자는 입자 물리학의 표준 모형이 제시하는 기본 입자 가운데 하나예요. 현대 물리학이 우주를 설명하는 데 있어서 매우 중요한 역할을 하고 있지요. 지금으로선 존재 여부를 확인한 것만으로도 현재의 물리학에서 설명하는 우주론이 실제와 얼마나 같은지를 가늠하는 기준이 된답니다.

100 다이너마이트 개발자, 알프레드 노벨

나는 세상에서 가장 부유한 사람이 되었습니다. 이게 모두 내가 발명한 다이너마이트 덕분입니다! 쉽지는 않았어요. 작은 충돌에도 폭발하는 불안정한 액체인 니트로글리세린을 안전하고 다루기 쉽게 만들어야 했으니까요.

우리 가족은 니트로글리세린에 관해 약간 알고 있었어요. 우리 작업실이 폭발해서 동생과 직공 네 명이 사망한 일이 있었거든요. 마침내 내가 해결책을 찾아냈지요. 나는 니트로글리세린과 흡수성 있는 물질을 혼합했어요. 그리고 뇌관에 불이 붙어야만 폭발하는 다이너마이트를 생산하기 시작했어요. 워낙 강력하고 위험한 폭발물이어서 아무도 전쟁에서 사용할 생각은 하지 않을 것이라고 생각했지요.

펑!
쩍!
번쩍!
펑!

정말 잘못된 판단이었습니다! 불과 몇 년 사이에 무기와 폭발물이 몇 배 증가하고, 모두 전쟁과 대학살에 사용되는 것을 내 눈으로 똑똑히 보았어요. 그래서 나는 내 유산을 인류의 평화와 행복을 위해 일하는 사람에게 남기기로 결심했습니다.

당신이 천개의 아이디어를 가지고 있는데,
그중 하나만 쓸모가 있다면 거기에 만족하라.
—알프레드 노벨

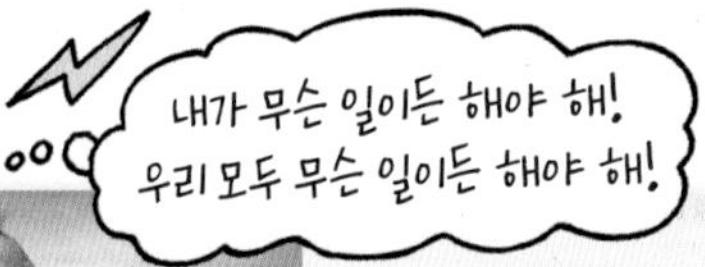

내가 무슨 일이든 해야 해!
우리 모두 무슨 일이든 해야 해!

나, 알프레드 노벨은 나의 마지막 뜻을 이 유언장에 밝힌다. 나머지 유산 전부를 다음과 같이 사용해야 한다. 나의 유언 집행자들이 안전하게 투자해서 얻은 수익으로 기금을 조성하고, 유언 집행자들은 매년 그 이전 해에 인류의 행복에 기여한 사람에게 상금을 지급해야 한다.

—1895년 11월 27일, 파리

전쟁과 평화를 동시에 품다

전쟁과 평화……. 이는 알프레드 노벨의 삶과 죽음을 압축하는 두 단어라 할 수 있어요. 수많은 사람의 목숨을 앗아 간 다이너마이트를 발명한 주인공인 동시에 노벨상이라는 불멸의 유산을 남겼으니까요.

노벨은 1833년에 스웨덴의 부유한 집안에서 태어났지만, 아버지의 파산과 재기가 반

나는 황금보다 더
값지답니다!

복되면서 어머니의 야채 행상과 형들의 성냥팔이로 겨우겨우 생계를 꾸려 간답니다. 러시아가 크리미아 전쟁에서 패배하는 바람에, 베니어를 발명한 건축가이자 무기 제조업자였던 아버지의 사업이 망해 가고 있었거든요.

그러던 어느 날, 소총 개머리판에 쓸 목재를 구하려고 바쿠 지역을 방문한 아버지가 거대한 유전에 투자를 하게 되어요. 그 덕분에 노벨 집안은 '석유'라는 새로운 기회를 손에 쥐게 되지요. 그 후 노벨은 다이너마이트와 폭발성 젤라틴, 무연 화약 등을 잇따라 발명한답니다. 오래지 않아 세계 각국에 무기 및 폭약 공장을 90개나 소유한 재산가로 떠올랐어요.

이렇게 다국적 기업 총수로서, 또 발명가로서 승승장구하던 노벨은 1888년에 대전환의 계기를 맞이합니다. 바로 윗형의 죽음을 노벨의 사망으로 착각한 파리의 한 신문사가 기사를 잘못 내보내게 되는데요. '죽음의 상인 노벨 사망'이라는 부고 기사를 보고선 충격을 받은 나머지, 인류를 위해 공헌한 사람들을 위해 전 재산을 바치기로 결심한 거예요. 그의 뜻을 기려서 지금도 해마다 노벨의 사망일(12월 10일)에 노벨상 시상식이 열리고 있답니다.

바로 우리 같은 사람이죠!

노벨상을 수상할 자격이 있는 사람

1. 물리학 분야에서 가장 중요한 발견을 한 사람
2. 화학 분야에서 가장 중요한 발견을 한 사람
3. 의학 분야에서 아주 중요한 발견을 한 사람
4. 문학 분야에서 주목할 만한 이상적 경향의 작품을 쓴 사람
5. 국가 간의 우호를 증진시키기 위해 애쓴 사람, 상비군을 폐지시켰거나 축소시키는 데 기여한 사람, 평화회의를 개최했거나 확대한 공로가 있는 사람

1986년, 노벨상을 수상하는
리타 레비 몬탈치니.

스톡홀름 시청에서 거행되는 노벨상 수상식.

노벨 물리학상과 화학상은 스웨덴 왕립 과학 아카데미에서 주관하고, 생리학이나 의학상은 스톡홀름 카롤린스카 연구소에서, 문학상은 스톡홀름 아카데미에서, 평화상은 노르웨이 국회에서 선발된 노벨 위원회에서 주관해요.

네 개의 상은 스톡홀름에서 스웨덴 국왕이 수여하지만, 노벨 평화상은 오슬로에서 노르웨이 국왕이 수여하지요.

천재들의 번득이는

아이디어는 끝이 없다!

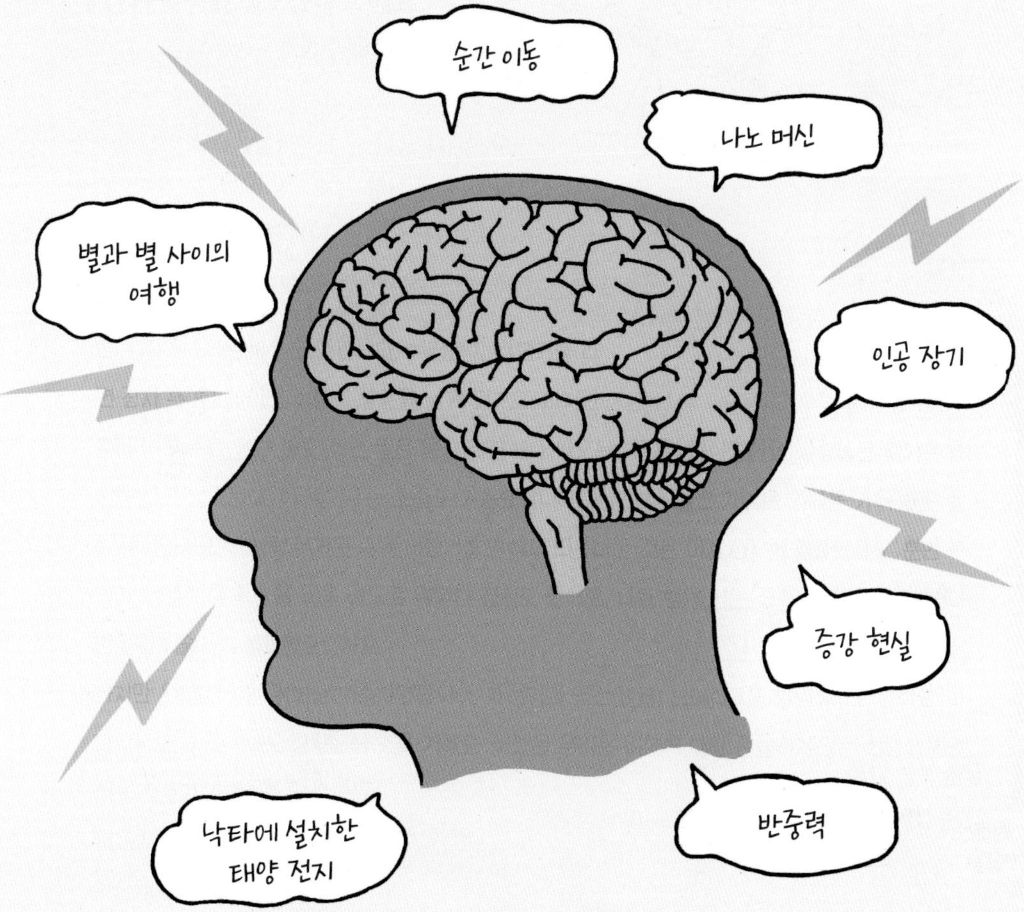

세상을 바꿔 온 아이디어 사전

아이디어가 맨 처음 떠올랐을 때 터무니없다고 해서
위대한 아이디어가 되리라는 희망이 없는 것은 아니다.

— 알베르트 아인슈타인

과학적 방법

갈릴레오의 위대한 아이디어. 어떤 현상을 반복적인 실험으로 증명할 수 있다면 그건 '사실'이다. (그리고 이론은 유효하다.) 그렇지 않다면 기적이다. ➔ 86쪽

갈릴레오
말이 맞았어!

기하학

길이와 면적과 부피를 측정하기 위해 탄생했다. 그 후 자연 현상 속에 드러나는 법칙을 표현하는 가장 효과적인 방법 중 하나가 된다. 지금도 컴퓨터에서 널리 쓰이고 있다. 그뿐 아니라 기하학은 수많은 번득이는 아이디어의 탄생을 도왔다. ➔ 69쪽

우린 어디에나 있어!

꿈을 보는 기계

뇌에 관한 연구는 계속 놀라운 결과를 보여 준다. 과학자들은 기억과 이미지를 보관하는 영역을 찾아낸다. 아직 발견해야 할 게 아주 많은데, 그중에서 꿈을 볼 수 있게 해 줄 가능성이 높다.

멋진
영화야!
쿨쿨

나노 머신

모든 용도에 사용되는 기계로 미생물이나 고분자 정도의 크기. 인공 DNA를 만들거나 화학적으로 DNA를 합성할 수 있다.

낙타에 설치한 태양 전지

태양광으로 작동되는 냉장고를 낙타 등에 싣는다. 이집트 상인이 관광객들에게 시원한 음료를 팔기 위해 이런 천재적인 아이디어를 냈다. 곧 동료들이 너도나도 따라 했다.

피라미드 콜라

냉동 식품

브루클린의 젊은이 클라렌스 버즈아이의 번득이는 아이디어. 버즈아이는 미국 정부의 자연 과학자로, 아메리카 대륙의 최북단 래브라도로 발령을 받았다. 원주민인 이누이트들과 영하 40도에서 낚시를 하다가 살아 있는 물고기가 밖으로 나오면 즉시 얼어붙어서 최고의 신선도를 유지한다는 사실을 발견했다. 낮은 온도에서 생선 맛이 고스란히 유지되는 것이다. 뉴욕으로 돌아온 버즈아이는 다양한 실험 끝에 1922년에 최초의 냉동 식품 회사를 설립한다.

농업

땅을 경작하는 기술과 행위. 마법과 같은 번득이는 천재적 아이디어. 곡물(밀알이나 보리알)을 땅에 묻으면 거기서 식물이 자라 서른 배 이상의 곡물이 열린다. ➔ 43쪽

달[月]

한 해를 열둘로 나눈 것 중 하나. 한 달은 달이 지구의 둘레를 한 바퀴 도는 데 걸리는 시간과 거의 비슷하다. (29일과 한나절보다 조금 더 걸린다.)

이런!
거의 한 달이 걸리네!

대기압

우리는 주위의 대기로부터 강한 압력을 받는다. 오토 폰 게리케가 대기압의 존재를 증명하고, 에반젤리스타 토리첼리가 대기압을 측정했다.

➔ 93쪽

대기
대기
대기

동물 행동학

동물의 행동을 연구해 인간의 행동과 합리적으로 비교하는 학문. 콘라트 로렌츠의 번득이는 아이디어 덕분에 학문으로 자리 잡았다. 로렌츠는 자신의 정원에서 기르던 야생 오리와 다른 동물들을 관찰하다가 이 아이디어를 떠올렸다.

➔ 21쪽

뗏목

나무 몸통 여러 개를 묶어서 만든 배. 모든 배의 조상이다. 우리 조상들은 발사나무로 만든 뗏목을 타고 대양을 건너 세상을 정복했다. ➔ 41쪽

로켓

별과 별 사이를 날아 여행하는 데 대기가 꼭 필요한 건 아니다. 뉴턴의 제3법칙(작용-반작용의 법칙) 덕택에 우리는 화성과 달에 갈 수 있게 되었다. 폰 브라운의 말. ➔ 149쪽

가능해요!

막대 아이스크림

프랭크 애퍼슨이라는 샌프란시스코의 열한 살짜리 소년이 떠올린 아이디어. 어느 추운 날 밤, 프랭크는 창밖에 레몬주스 컵을 놓아두고선 깜빡 잊어버렸다. 컵 안에는 주스를 저었던 가느다란 막대가 들어 있었다. 다음 날 아침, 프랭크는 얼어붙은 컵에 따뜻한 물을 흘려 넣어 레몬주스를 떼어 낸 뒤 최초의 '막대 아이스크림'을 먹었다. 프랭크는 1923년에 막대 아이스크림으로 특허를 내었다.

망원경

네덜란드인 한스 리퍼세이가 최초로 제작. 갈릴레오는 '소문으로만 듣고' 망원경을 만든 뒤, 천재적인 아이디어로 망원경을 하늘로 돌려 별을 관찰했다. ➔ 85쪽

맥주

6천 년 전 어느 날, 고대 메소포타미아에서 토기 항아리에 담아 둔 채 까맣게 잊고 있었던 보리죽이 발효되었다. 누군가의 번득이는 아이디어로, 그것을 버리는 대신 맛을 보았다. 그것이 곧 맥주가 된다.

버릴까요?
아니!

무선 통신

선 없이 메시지를 전달하는 것. 니콜라 테슬라의 천재적인 아이디어가 큰 기여를 했다.(➔ 100쪽) 곧 세계적으로 사용하게 만든 사람은 굴리엘모 마르코니였다. 마르코니는 무선 메시지를 수신하기 위해 커다란 연을 안테나로 이용하기까지 했다. ➔ 136쪽

문자

언어를 시각적으로 표현하는 것. 수메르인들이 실용적인 목적과 상업적 목적으로 맨 처음 사용하기 시작했다. ➔ 57쪽

난
계산서야!

미생물 유전자 변형 생물

미생물에 동식물 조직의 DNA나 유전자 일부분을 옮겨 붙이는 것. 최초의 유전자 변형은 인간의 인슐린 유전자를 박테리아에 끼워 넣은 것이다. 그 후 수백만의 박테리아가 의료 목적으로 생산되었다. ➔ 166쪽

난 인슐린을
생산해!
난 비타민 D!
난 고전을 읽어!

바퀴

항아리를 만들던 수메르 장인의 천재적인 아이디어.

➜ 53쪽

바퀴 모양 물통

가장 가까운 우물까지 가는 데만도 몇 킬로미터를 달려야 하는 사막 사람들의 힘든 노동을 덜어 주기 위해 젊은 디자이너가 내놓은 번득이는 아이디어. 바퀴 모양 물통을 집까지 굴려서 갈 수 있다.

반중력

우주에서 가장 강력한 중력에서 끌어낸 힘으로 엔진이나 장치를 작동시키려는 아이디어가 오래전부터 퍼져 있다. 비밀은 원자 내부에 있다! 조만간 누군가 천재적인 아이디어를 내게 될 것이다.

발전기

마이클 패러데이의 번득이는 아이디어. 패러데이의 발전기는 오로지 구리 원판으로 자기장 내에서 움직인다. 모든 자전거에 발전기가 있다.

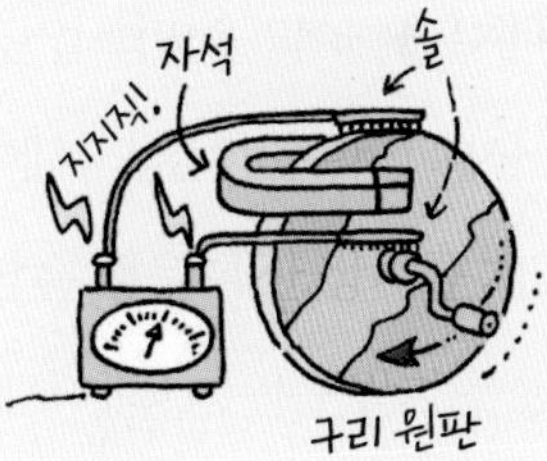
지지직!
자석
솔
구리 원판

우리가 사용하는 거의 모든 전기가 발전기를 통해 생산된다.

벽화

돌에 사람이나 동물을 새기거나 그린 것. 어떤 것들은 4만 년 전에 그려졌다. 역사상 최초의 대중 전달 매체이자 최초의 시각 예술이고 의사 전달 형태이다. ➜ 28쪽

얼마나 나눠야 하지?

별에서 별로의 여행

반짝!

지구의 우주 비행선이 이론적으로 가장 빠른 속도인 빛의 속도로 이동해도 가장 가까운 별까지 가는 데 몇 년이 걸린다. 우주가 폭발하기 전에, 그리고 '적절한' 시간에 지구로 돌아오려면 더 위대한 아이디어가 필요하다.

집에 가려면……
3천 년 걸려!

불

좋아!
좋아! 받아먹어!
지지직!

동료들 가운데 가장 용감했던 우리 조상이 야생 동물처럼 불을 잡아서 키웠다. ➔ 24쪽

상대성 이론

아인슈타인의 천재적 아이디어와 그 이론. 아인슈타인에 따르면 시간은 장소와 행동에 대해 상대적이다. ➔ 170쪽

비타민 C 직물

시칠리아 출신 젊은 여성 디자이너의 번득이는 아이디어. 특히 비타민 C를 얻을 수 있는 오렌지 껍질의 섬유로 직물을 생산할 아이디어를 냈다는 점이 독특하다.

비타민 C

세렌디피티

다른 뭔가를 찾다가 특별한 발견을 하거나 위대한 아이디어를 갖게 되는 것. 번득이는 아이디어들 중 대부분이 세렌디피티로 이루어진다.

➔ 11쪽

세탁기

18세기 레겐스부르크 대학에서 신학과 자연 과학을 가르치면서 청소를 담당했던 어느 교수의 번득이는 아이디어. 최초의 전기 세탁기는 1906년에 시카고의 발명가가 만들었다.

THE
HAPPY DAY
Ball Bearing High Speed
WASHING MACHINE
SAVES
—Time
—Labor
—Nerves
—Clothes
—Strength
AND TRANSFORMS
"BLUE MONDAY"
INTO A BRIGHT AND
HAPPY DAY

비타민

성장과 신진대사를 돕는다. 비타민이 부족하면 병에 걸린다. 하지만 건강하게 생활하면서 과일과 채소를 조금만 먹어도 부족하지 않다. 비타민에 대해 최초로 천재적 아이디어를 낸 사람은 대영 제국의 의사이다.

결핍
반대

비행기

하늘을 날 수 있게 지탱해 주는 공기보다 무거운 교통수단. 라이트 형제의 천재적 아이디어.

➔ 147쪽

정말로 나는 거야?
응, 공기가 있으면 날아!

수중 호흡기

오랜 시간 물속에서 적의 배의 용골에 구멍을 뚫을 수 있게 하려고 레오나르도 다빈치가 설계했다. 1930년경에 자크 이브 쿠스토가 실제로 만들어 널리 사용되었다.

자크 쿠스토

순간 이동

공상 과학에 등장하는 발명이지만 이론적으로 가능하다. 물질을 에너지로 바꾸고, 에너지는 수신기에 전파의 형태로 전달될 수 있다. 그러면 수신기에서 원래의 물질로 되돌려 놓는 것이다. 누군가 이미 입자들을 지구의 어떤 곳에서 다른 곳으로 순간 이동시켰다. 사람과 물건은 더 연구를 해야 한다.

시간 여행

상대성 이론에 따르면 우주는 곡선이다. 휘어져 있으므로 과거와 미래는 어느 순간 만나게 된다. 그러면 과거에서 미래로, 미래에서 과거로 이동할 수 있다. 여기서도 시간의 지름길에 접근하기 위한 번득이는 아이디어가 필요하다.

쉼 없이 작동하는 냉방기

1851년, 미국 사우스캐롤라이나주에서 의사인 존 고리가 공기 조절 장치로도 이용이 가능한 냉방 기계를 발명했다. 고온에서 발생하는 병들을 치료할 목적이었다. 사실 그때만 해도 냉방기를 작동하려면 땀을 많이 흘려야 했다. 그렇지 않으면 말이나 풍차로 움직여야 했으니까.

승강기

현대 승강기의 조상은 증기로 작동되었고, 1857에 뉴욕에 설치되었다. 침대 제조업자였던 엘리샤 그레이브스 오티스의 번득이는 아이디어로 최초의 고층 건물들을 지었다. 앞으로 아이디어가 또 나와 반중력 승강기가 제작될지도 모른다.

식기세척기

미국의 가정주부인 조세핀 게리스는 설거지를 끔찍하게 싫어했다. 그리고 다른 사람들이 그릇을 거칠게 다루는 것도 못마땅해했다. 결국 칸을 여러 개로 나누어 접시와 컵을 넣을 수 있는 철제 바구니를 만들었다. 그 바구니를 구리 보일러에 넣자, 모터가 움직이면서 뜨거운 물이 그릇에 뿌려졌다. 전동기를 처음으로 응용한 기계 중 하나다. 조세핀 게리스는 1886년 12월 28일에 특허를 냈다. 그러나 1950년대에 이르러서야 미국의 가정에서 사용하게 되었다. 그녀가 세운 회사는 지금 월풀사에 속해 있다.

아르키메데스

2,200년 전, 시라쿠사에 살았던 철학자이자 공학자. 모두가 인정하는 번득이는 아이디어를 여러 개 생각해 냈다. 그는 그리스어로 계속 말했다. "찾았다! 찾았다!" ➔ 71쪽

유레카!
유레카!
유레카!

위장술

다양한 위장 방법으로 이미 부분적으로는 눈에 보이지 않는 데 성공했다. 여러 군사 연구소에서 주위 환경과 똑같아지는 직물을 연구하고 있으므로, 언젠가는 우리 몸이 완전히 보이지 않게 될지도 모른다.

이제 내가 안 보일걸!

언어

다른 사람과 몸동작과 소리와 말로 소통하는 능력. 호모 사피엔스의 천재적인 아이디어.
➔ 27쪽

레갈로? 레오나르도? 레오……

유전자

유전적 특징을 나타낼 정보를 포함한 DNA의 일부분. 유전자의 존재와 그것의 기능을 발견할 번득이는 아이디어를 지녔던 사람은 브르노 사원의 성직자였던 그레고어 멘델이었다. ➔ 160쪽

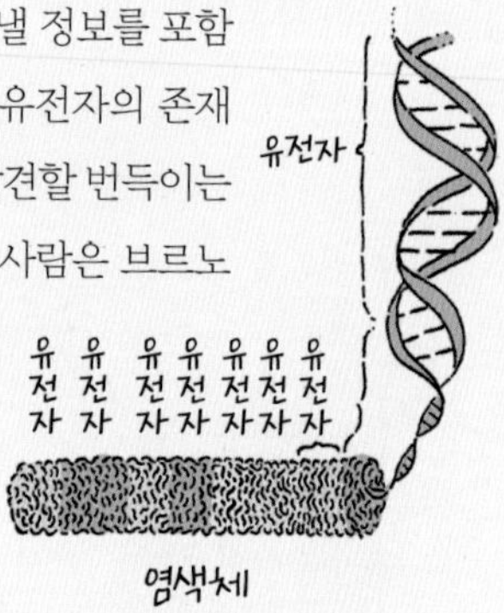

유전자
유전자 유전자 유전자 유전자 유전자 유전자 유전자
염색체

위생

19세기 유럽에서는 병원에서조차 씻는 게 선택적이었다. 그걸 보고 의사인 제멜바이스는 번득이는 아이디어를 떠올렸다. 그러나 의사들에게 손을 씻으라고 권했다가 미치광이 취급만 받았다. ➔ 127쪽

음악

공간과 시간 속에서 음을 조화롭게 만들어 내는 예술. 미래의 음악은 완전히 새롭게 창조 가능할 뿐 아니라 번득이는 아이디어가 수놓을 것이다.
➔ 35쪽

인공 나뭇잎

태양 에너지를 이용해서 물을 분해해서 산소와 수소를 발생시킨다. 산소와 수소는 환경을 오염시키지 않는 친환경 연료이다.

O_2
H_2
H_2O
반짝!

인공 장기

장기를 교체할 필요가 있는 환자의 줄기세포를 이용해서 시험관에서 배양할 수 있다. 미래에는 피부 이식처럼 장기를 직접 신체에서 키우는 게 가능할 것이다.

줄기세포로 만든 눈과 코

인터넷

CERN의 내부 문제를 풀기 위해 탄생했다. 연구소의 과학자들은 다른 과학자들의 연구에 접근할 수 있어야 했다. 그래서 버너스 리 박사는 자신들의 컴퓨터를 하나로 연결하는 망을 만들어야겠다는 천재적인 아이디어를 냈다. 이에 다른 연구소도 가세했고, 이 망은 아주 빠르게 커져서 전 세계로 쭉쭉 퍼져 나갔다.

➜ 157쪽

www!

자율 주행 자동차

저절로 움직이는 차, 다시 말해 동물이 끌거나 페달을 밟을 필요가 없는 자동차이다. 최초의 자동차는 레오나르도 다빈치의 천재적인 아이디어로 탄생한 '스프링' 자동차였다. 최신은 운전할 필요 없이 원하는 곳에 갈 수 있는 무인 자동차이다.

어디 갈까?
산책!

자전거

두 바퀴 자전거에 대한 천재적 아이디어. 자전거는 1816년에 탄생했는데, 안장도 페달도 없었다. 그저 부자들을 위한 장난감 같았으며, '드라이지네'라고 불렸다. 다빈치가 자전거 설계를 했다고 하지만(설계도가 가짜일 가능성이 아주 높다.) 지금 우리가 아는 자전거와 비슷한 형태와 기능은 1888년에야 등장했다.

으쌰!
으쌰!

전구

수많은 발명품을 내놓은 토마스 에디슨 덕분에 우리는 언제 어디서나 전구를 사용할 수 있다. 전구 특허를 얻은 뒤로(1879) 에디슨의 천재적인 아이디어는 불이 켜진 작은 전구로 표현되는 일이 많다.

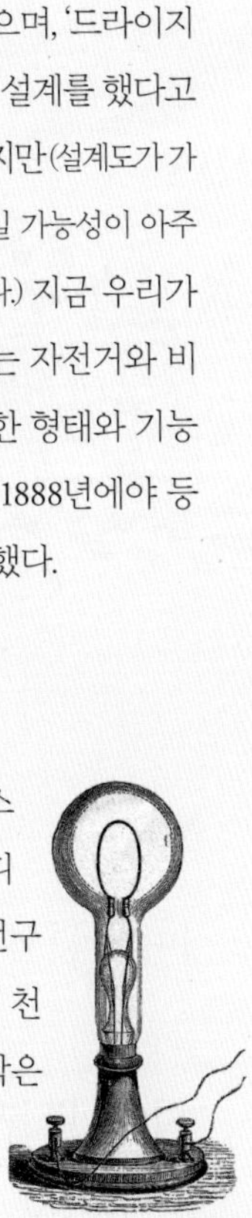

➜ 114쪽

전기 축구공

공을 가지고 놀거나 발로 차면 세 시간 동안 LED 전구에 불이 들어올 정도의 전기가 만들어지고 축적된다. 최초의 전기 축구공은 빌 클린턴(미국의 전 대통령) 재단의 후원으로 만들어졌다. 환경 오염이나 연료의 사용 없이 에너지를 생산하는 게 크게 어렵지 않다는 걸 증명하는 게 목적이다.

전자레인지

퍼시 르바론 스펜서는 레이더 시스템을 시험하던 중, 주머니에 넣어 둔 초콜릿이 다 녹아 버린 것을 알아차렸다. 마이크로파를 발사하는 기구가 원인이었다. 그는 팝콘을 튀기고 계란을 익히는 데 그 장비를 사용해 보았다. 야호! 계란이 그의 얼굴 쪽으로 터져 나왔다.

오, 되는데!

전지

물고기 전기 기관을 모방한 알렉산드로 볼타의 번득이는 전지와 더불어 전기의 시대가 열렸다. ➔ 112쪽

220
VOLT

내겐
손자가
아주 많아!

전화

안토니오 메우치와 알렉산더 벨의 천재적인 아이디어. 두 사람 모두 아내와 연락을 주고받는 데 문제가 있었다. ➔ 134쪽. 휴대폰의 다음 단계는 혹시 생각을 전달하는 것일까?

중력

중력의 법칙은 아이작 뉴턴의 천재적인 아이디어와 그 옆에 떨어진 사과 한 알에서 탄생했다. 그런데 사과가 딱 한 알뿐이었을까? ➔ 89쪽

툭
툭

증강 현실

휴대폰이나 컴퓨터를 통해, 우리 오감이 감지할 수 있는 것보다 훨씬 더 많은 것을 보고 느끼고 만질 수 있는 시스템.

나이 15세.
몸무게 47킬로그램.
체온 35도.
심장 박동 분당 88회.

줄리오 체사레를
태우고 바람을
쐬어 줄 수 있었는데!

증기 기관

기원전 3세기에 헤론이 증기 기관을 발명했지만, 아무도 관심을 갖지 않았다.(➔ 54쪽) 뉴커먼이 알맞은 시기에 다시 발명한다. 제임스 와트는 1769년에 자신이 만든 증기 기관의 특허를 내서 부자가 된다. 와트 이후 세상은 전속력으로 달린다! ➔ 96쪽

증기 냉장고

제임스 해리슨은 오스트레일리아에서 인쇄공이자 기자로 일했다. 어쩌다 에테르(기체)를 납 활자에 떨어뜨렸는데, 활자가 얼음처럼 차가워졌다. 에테르가 증발하면서 주변의 열을 빼앗아 간 것이다! 그는 자료를 찾아보다가 에테르에 압력을 가하면 쉽게 액체로 변한다는 것을 알아차렸다. 증기 기관으로 작동되는 압축기는 기체를 압축해 액체로 만든다. 그리고 액체가 증발하면서 물이 가득한 용기의 온도가 영하로 내려가면서 물이 얼어 얼음으로 바뀐다. 팽창된 기체가 압축하면 다시 물이 되는데, 이 과정이 계속 되풀이된다. 1850년에 해리슨의 냉장고가 역사상 최초로 대중에게 판매된다.

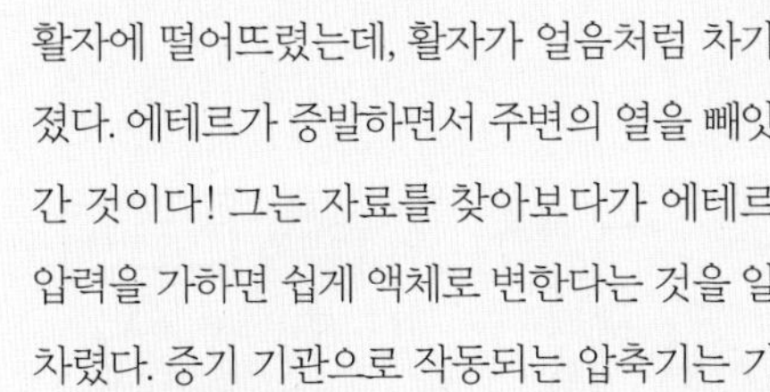
주방용 모델이
아니라오!
푸푸!
윙

지능

문제를 해결하는 능력과 의지. 그렇다고 이 세상의 모든 생명체가 지능을 가진 것은 아니다.
➔ 16쪽

지퍼

지퍼는 미국으로 귀화한 스웨덴인 기드온 순드바크의 번득이는 아이디어에서 탄생했다. 아내가 죽은 뒤, 그의 옷은 점점 허름해졌다. 그러다 우연히 만든 '고리 없는 잠금장치'로 상황이 좋아졌다. 제1차 세계 대전이 발발하자, 미국 해군에서 그에게 수천 개의 지퍼를 주문했다.

직조

천염 섬유나 합성 섬유를 짜는 일. 구석기 시대 말에 나온 번득이는 아이디어. ➔ 48쪽

진화

찰스 다윈의 위대한 아이디어. 아직까지도 누군가는 우리가 원숭이와 친족 관계라는 걸 불편해한다. ➔ 118쪽

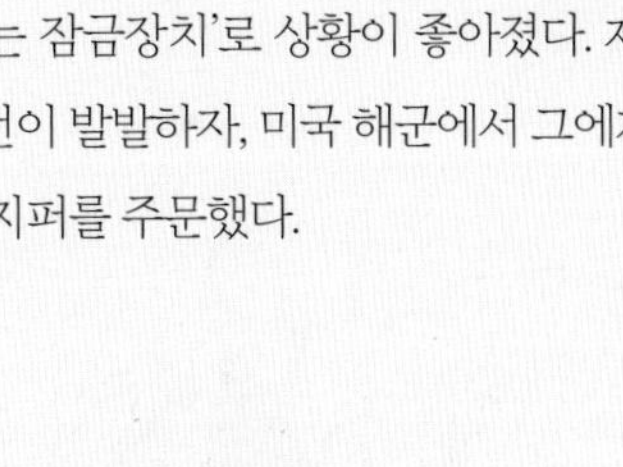
호모
사피엔스
원숭이
여우
원숭이
영장류

찍찍이(벨크로)

한쪽에 작은 갈고리가 있어서 걸림 고리가 있는 다른 쪽과 완벽하게 붙는 합성 섬유. 스위스의 기술자 조르주 드 메스트랄의 번득이는 아이디어다. 메스트랄은 교외를 산책하다가 자신의 양모 옷과 개의 털에 도꼬마리와 마른 열매가 잔뜩 붙어 있는 걸 발견했다. 미세한 갈고리로 털에 착 달라붙어 있었다. 그 모양을 본떠서 찍찍이를 발명했다.

철

철과 탄소의 합금. 3,200여 년 전, 어느 대장장이의 번득이는 천재적 아이디어. 철이 뜨거워질 때까지 두드리다가 발견했다. ➔ 52쪽

얍!
두 번 더 두드리자. 지금 내가 한 시대를 열고 있어.
댕댕! 지지직!

청진기

심장과 폐의 소리를 듣기 위해 모든 의사들이 사용하는 도구. 르네 테오필 야생트 라에네크의 천재적인 아이디어. 라에네크는 젊은 환자들의 가슴에 귀를 너무 가까이 대야만 할 때의 당혹스러움을 해결하고자 했다.

쿵쿵

안녕, 난 네 컴퓨터야!

컴퓨터

컴퓨터에 대한 천재적인 아이디어를 낸 사람은 바로 배비지 교수이다. 하지만 배비지는 기계적으로 컴퓨터를 생각했고, 손이나 증기 기관으로 작동시키려고 했다. 오늘날의 컴퓨터는 점점 작아지고 있으며, 심지어 부품이 분자처럼 자그마한 컴퓨터도 있다. ➔ 150쪽

판 구조론

대륙들은 움직인다. 뿐만 아니라 대륙을 이루는 판들은 내부의 마그마 위에 떠 있다. 알프레드 베게너가 맨 먼저 알아차렸으나, 수십 년 동안 진지하게 받아들여지지 않았다. ➔ 122쪽

아메리카
아프리카

플라스틱

플라스틱 시대는 코끼리의 생존을 생각하는 훌륭한 행동에서 비롯되었다. 존 웨슬리 하이엇은 상아로 만들던 당구공을 다른 재료로 대체할 생각을 품었다. ➔ 144쪽

요, 하이엇! 땡큐!!!
셀룰로이드 공, 진심 고마워!

피뢰침

벤저민 프랭클린의 천재적인 아이디어. 번개를 계속 쫓아다니던 프랭클린이 피뢰침을 발명하기 전에 번개를 맞지 않은 것은 최고의 행운이었다. ➔ 109쪽

핑거 프린트

범죄 현장이나 재난 사고 현장에 있던 DNA를 확인하는 방법. 현재 전 세계 경찰은 전통적인 디지털 지문 감식과 함께 이 방법을 사용한다.

➔ 163쪽

합성 음식

〈스타트렉〉 시리즈에 등장하는 아이디어. 아직은 우주 여행자들을 위해 실험 단계에 있다. 간단한 미립자로 이미 비스킷을 합성할 수 있으며, 합성 피자를 찾는 사람도 있다.

활

4만 년, 전 한 사냥꾼의 번득이는 아이디어. 나무와 동물 힘줄로 활을 만들었다. 그러다가 그의 활을 본 누군가에게 천재적인 아이디어가 떠올라서 활비비(활같이 굽은 나무에 시위를 메우고, 그 시위에 송곳 자루를 건 다음 당기고 밀고 하여 구멍을 뚫는 송곳)를 발명했다. 나무에 구멍을 뚫거나 불을 붙일 때 사용했다.

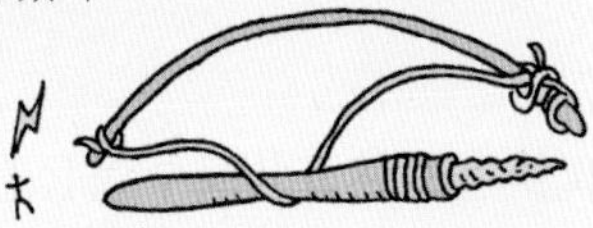

황산

부식성이 강한 산. 중세 연금술사가 현자의 돌을 찾다가 발견했다. 찾지 않으면 발견하지 못한다.

➔ 107쪽

창조는 여러 가지를 함께
결합시킬 줄 아는 것이다.
—장 피아제

세상을 바꾼 천재들의
100가지 아이디어

첫판 1쇄 펴낸날 2019년 7월 31일
3쇄 펴낸날 2020년 10월 16일

지은이 루카 노벨리 **옮긴이** 이현경
펴낸이 박창희
편집 김수진 이민주 **디자인** 권은숙 정진희
마케팅 이상민 이혜인 **회계** 양여진

펴낸곳 (주)라임
출판등록 2013년 8월 8일 제 406-2013-000091호
주소 경기도 파주시 회동길 57-9, 우편번호 10881
전화 031) 955-1820, 1821 **팩스** 031) 955-1825
이메일 lime@limebook.co.kr **인스타그램** @lime_pub

ISBN 979-11-89208-31-8 44500
ISBN 979-11-951893-8-0 (세트)

* 잘못된 책은 구입하신 서점에서 바꾸어 드립니다.
* 본서의 반품 기한은 2025년 10월 31일까지입니다.

이 도서의 국립중앙도서관 출판예정도서목록(CIP)은 서지정보유통지원시스템 홈페이지(http://seoji.nl.go.kr)와 국가자료공동목록시스템(http://www.nl.go.kr/kolisnet)에서 이용하실 수 있습니다. (CIP제어번호 : CIP2019028665)